Abécédaire du féminisme

a été publié sous la direction littéraire de Ianik Marcil et Renaud Plante

Illustrations et conception graphique : Sarah Marcotte-Boislard
Direction de l'édition : Renaud Plante
Direction de la production : Marie-Claude Pouliot
Révision : Fleur Neesham
Correction : Marie Lamarre

ISBN 978-2-946062-16-8

Nous remercions le Conseil des arts du Canada de l'aide accordée à notre programme
de publication et la SODEC pour son appui financier en vertu du Programme d'aide
aux entreprises du livre et de l'édition spécialisée.

Nous reconnaissons l'aide financière du gouvernement du Canada par l'entremise
du Fonds du livre du Canada (FLC) pour nos activités d'édition.

Gouvernement du Québec – Programme de crédit d'impôt pour l'édition de livres
– Gestion SODEC

Dépôt légal – 3e trimestre 2016
Bibliothèque et Archives nationales du Québec
Bibliothèque et Archives Canada

Abécédaire du féminisme

idée originale
Marie-Louise Arsenault

textes
Noémie Désilets-Courteau

illustrations
Sarah Marcotte-Boislard

ÉDITIONS
SOMME
TOUTE

Préface

D'aussi loin que je me souvienne, je me suis toujours considérée comme une féministe. Probablement parce que j'ai été élevée par une mère qui détenait les cordons de la bourse familiale et par un père qui tenait à ce que ses trois filles reçoivent la même éducation que son fils. Dans le Québec de la classe moyenne des années 1970, ce n'était pas si courant. Je me souviens de ces années où Lise Payette et Janette Bertrand trônaient à la télévision comme des reines puissantes et revendicatrices, mais aussi des livres qui remplissaient la bibliothèque de ma sœur aînée Doris : *La femme mystifiée* de Betty Friedan, *Ainsi soit-elle* de Benoîte Groult, ou *La Vie en rose*, défunt magazine où je découvrais, encore enfant, sous les écrits vitrioliques d'Hélène Pedneault et de Francine Pelletier, l'ampleur tragique du fossé qui séparait les femmes des hommes. C'était la grande époque du féminisme, où il faisait bon se définir comme tel, pour les hommes comme pour les femmes, bien avant que Susan Faludi ne publie *Backlash*, annonçant une inévitable régression des mœurs, en 1991.

Or, en cette année 2016, alors que j'écris ces lignes, nous sommes exactement soixante-sept ans après la publication du *Deuxième sexe* de Simone de Beauvoir, premier manifeste du mouvement féministe, porté par cette petite phrase assassine : « On ne naît pas femme, on le devient ». Des générations entières de femmes et d'hommes ont eu le temps de naître, de grandir, de se reproduire, de souffrir de part et d'autre des rôles qui leur sont réservés (et des jugements qu'on leur porte lorsqu'ils tentent d'en sortir), ils ont eu le temps de vieillir, de mourir aussi, et pourtant, exactement comme il y a plus d'un demi-siècle – et probablement de façon encore plus agressive de nos jours –, il ne passe pas une minute sans que nous soyons bombardés par des centaines d'images renvoyant systématiquement les femmes à la case « objet de désir » qu'elles occupent encore, enfermées dans cette posture depuis des millénaires, participantes plus ou moins volontaires d'une mascarade étouffante. En petites culottes, engagées dans une bataille d'oreillers, captées dans des poses lascives sur des voitures rutilantes, ou mises en scène comme des créatures d'âge mûr devant combattre les rides avec l'énergie du désespoir. Malgré les travaux de Beauvoir, d'Élisabeth Badinter ou de Betty Friedan, et les combats de Thérèse Casgrain et de Gloria Steinem, les femmes doivent encore se soumettre (ou se comparer) à des codes de comportement qui leur sont imposés par le chancelant mais combatif modèle patriarcal et par la souffrante mais toujours intacte société capitaliste, qui transforme perpétuellement les femmes en objets de consommation à durée de vie restreinte.

Aussi, ce livre est le résultat d'une préoccupation de l'équipe éditoriale de *Plus on est de fous, plus on lit !* qui était, au moment de la genèse de l'ouvrage que vous tenez dans vos mains, entièrement composée de femmes : les recherchistes Maude Paquette, Marie-France Lemaine et Noémie Désilets-Courteau, la réalisatrice Joanne Bertrand et moi-même, l'animatrice de l'émission. C'était en septembre 2013, alors que nous entreprenions notre troisième saison à l'antenne d'Ici Radio-Canada Première. Sur les écrans en tous genres qui nous entouraient, Miley Cirus, vêtue d'un costume couleur chair, lançait la mode du *twerking*, mouvement giratoire du bassin exécuté contre le pelvis du chanteur Robin Thicke, un homme ayant plus de deux fois son âge, lors d'une performance réalisée aux MTV Awards, pendant que Rihanna, chanteuse la plus visible sur la scène médiatique nord-américaine à l'époque, publiait chaque semaine sur son compte Instagram des photos d'elle-même en maillot deux pièces, découpant son corps en morceaux pour ses millions d'abonnés, en omettant bien souvent de placer son visage dans le cadre.

Plongées en plein cœur de cette machine médiatique, nous, dont le travail est de produire quotidiennement une émission qui remet en question le discours dominant au travers de la production artistique internationale, étions abasourdies et inquiètes. Souvent engagées dans des conversations passionnantes et soutenues où nos points de vue divergeaient une fois sur deux, nous butions sans cesse sur ces interrogations : comment les jeunes femmes éduquées et libres qui grandissent en Occident de nos jours peuvent-elles s'identifier à ces femmes rompues aux codes de la soumission ? Est-ce que les femmes sont responsables de l'image que l'on renvoie d'elles dans les médias de masse ? Et surtout, surtout, où sont les modèles féminins affranchis dans le paysage médiatique et la culture populaire ? Préoccupées par le sort de nos filles, de nos nièces, et des garçons devant grandir et cohabiter avec elles, en octobre 2013, nous avons mis en place un segment que nous avons baptisé L'abécédaire du féminisme, dans le but avoué de produire un discours dissonant face à celui qui dominait rageusement à l'époque. Rappelons que c'était bien avant la campagne #heforshe de l'ONU portée par l'actrice britannique Emma Watson, des semaines avant la parution de *We Should All Be Feminists*, l'ouvrage marquant de l'écrivaine américaine Chimamanda Ngozi Adichie, et douze mois avant le puissant mouvement #AgressionNonDénoncée, qui a émergé dans la foulée de la désormais célèbre affaire Ghomeshi, en octobre 2014.

Portées par un élan volontaire, pendant toute la saison 2013-2014, nous avons réuni sur notre plateau des femmes de toutes les générations et de milieu culturels différents, des journalistes, des militantes, des étudiantes, des politiciennes et des auteures, en leur demandant de choisir des personnages d'origine canadienne et des concepts ou des idées reliés au féminisme, en souhaitant que la multiplicité de leurs regards compose une vision bigarrée et pertinente de ce que cela veut dire, être une femme au XXIe siècle. Un homme allait se joindre à elles pour le tout dernier segment consacré aux lettres X-Y-Z, l'économiste indépendant Ianik Marcil, dont les travaux soulignent régulièrement les inégalités sociales qui marquent le parcours des femmes. Rapidement, au cours de l'exercice, des thèmes ont émergé : le sort des femmes autochtones du Canada, dénoncé par de nombreuses invitées enclines à souligner la disparition de centaines d'entre elles depuis les années 1980 dans l'indifférence généralisée ; les diktats de la mode et l'énorme pression imposée par l'implacable industrie de la beauté ; la sexualité et la maternité à l'époque de la performance ; les tensions reliées à la conciliation travail-famille ; le courage et la détermination des personnages qui ont marqué notre histoire par la volonté remarquable avec laquelle ils et elles ont fait avancer les causes du féminisme. À mon humble avis d'animatrice, l'élément le plus contagieux de toute cette aventure est probablement le ton souvent joyeux emprunté par les 24 femmes (et l'homme !) que nous avons invités à participer à cet exercice, signe de la générosité, de l'ouverture d'esprit et de l'optimisme communicatif qui animent souvent ceux et celles dont le rôle est de réfléchir au monde qui les entoure, malgré leur indignation et leurs différences de points de vue.

Si certains d'entre vous se demandent pourquoi un livre comme celui-ci devrait exister, je rappellerai que, dans le pays où nous vivons, les femmes n'ont toujours pas droit au même salaire que les hommes pour un travail équivalent, qu'elles sont encore sous-représentées dans les conseils d'administration, dans les créneaux médiatiques d'envergure et dans les cabinets ministériels, et qu'une femme sur trois subira une agression sexuelle au cours de ses études universitaires. Ainsi, malgré le scepticisme de certains auditeurs, peu nombreux mais tenaces à remettre en question le segment que nous avons proposé pendant ces quelques semaines d'une saison marquée par le sexisme, le féminisme, quoi qu'en pense la ministre actuelle de la Condition féminine, a encore beaucoup de chemin à parcourir.

Marie-Louise Arsenault

Arcan, Nelly

Atallah, Christine

Avortement

Arcan, Nelly

Née Isabelle Fortier à Lac-Mégantic dans les Cantons-de-l'Est en 1973, elle adopte le pseudonyme de Nelly Arcan en 2001, à la parution de son premier roman, *Putain*. Alors étudiante à la maîtrise en littérature à l'Université du Québec à Montréal, elle travaille comme escorte, ce qui lui sert d'inspiration et de matière pour ce roman-choc auquel on a vite fait d'accoler l'étiquette d'autofiction, la classant du coup sur la même étagère que les Catherine Millet, Christine Angot et Virginie Despentes qui font scandale en France. On dira de *Putain*, finaliste aux prestigieux prix Femina et Médicis, qu'il est scandaleusement intime. On découvre une voix sensible qui porte un regard sans filtre sur l'image de la femme dans la société.

Avec *Folle* en 2004, Arcan fait le récit d'une séparation brutale sous forme de lettres destinées à l'amoureux qui l'a quittée. Putain et folle, «les deux mots qui ont marqué au fer rouge les femmes qui ne veulent pas se soumettre»[1] , deux qualificatifs qu'elle s'est elle-même assignés, comme pour devancer les accusations.

Dans *À ciel ouvert*, paru en 2011, Arcan délaisse l'autofiction, mais pas les thèmes qui lui sont chers. À la troisième personne, à travers un triangle amoureux malsain, elle raconte l'obsession de l'image qui mène à l'aliénation des femmes, le corps qu'on construit et la marchandisation de la sexualité.

Tout au long de sa carrière d'écrivaine, le «personnage Nelly Arcan» prend le dessus sur son œuvre. Dans les critiques consacrées à ses livres, on s'attarde à son passé d'escorte, on décortique son image de

---

[1] Nelly Arcan en entrevue au *Devoir*, le 28 août, 2004

blonde sulfureuse, on s'interroge sur ses chirurgies esthétiques. Comme si démarche sérieuse d'auteure et lèvres pulpeuses étaient incompatibles. On a fait grand cas de son rapport paradoxal à l'image; elle incarne précisément ce qu'elle dénonce, cette marchandisation du corps de la femme, cette peur opprimante de déplaire. Elle est l'une de ces femmes en «burqa de chair» qui s'efface derrière une image artificielle, un physique de poupée de plastique, calculé et travaillé.

Nelly Acran se donne la mort le 24 septembre 2009, quelques semaines après avoir remis à son éditeur le manuscrit de son dernier roman, *Paradis clef en main*, qui sera lancé deux mois plus tard. Son obsession pour le suicide traverse toute son œuvre et il en est directement question dans ce roman posthume dont le titre réfère à une organisation offrant aux suicidaires d'orchestrer leur mort pour eux.

Nelly Arcan, la Marilyn Monroe des lettres québécoises? Un destin tragique annoncé, une femme vulnérable qui n'a jamais caché son besoin de plaire à tout prix ou sa peur de vieillir. Une auteure hyperlucide, surtout, qui a su mettre des mots sur les insécurités et les contradictions qui habitaient les femmes de son époque.

Putain, est un livre coup de poing. Nelly Arcan met en mots – et très, très bien – l'espèce de plaisir de pouvoir gagner de l'argent aussi facilement au début et le mal-être qui est derrière ça. Elle a eu une enfance assez difficile, elle se cherchait, elle avait une faible estime d'elle-même, bref, on descend aux enfers avec elle. Finalement, c'est une façon très littéraire d'aborder un problème très difficile. Je dirais que Nelly Arcan, à cause de sa très grande visibilité, a fait penser à ce problème-là.

- *Julie Miville-Dechêne*

Atallah, Christine

Christine Ann Atallah est une chanteuse née à Montréal le 7 décembre 1965 de parents libanais arrivés au Québec au début du siècle dernier. À 17 ans, elle quitte le nid familial qu'elle juge trop traditionnel pour ses ambitions artistiques. Elle devient chanteuse classique, fait des études de chant à Montréal et à Milan et se perfectionne en danse à New York.

On la remarque, jeune soprano de 24 ans, dans le générique d'ouverture du film *Jésus de Montréal* de Denys Arcand. Elle interprète trois mouvements du *Stabat Mater* de Pergolesi sur la bande sonore de ce film sélectionné pour l'Oscar du meilleur film en langue étrangère en 1989.

En 2003, elle troque l'opéra de ses débuts pour une pop aux accents *world* et jazz qui l'entraîne dans les festivals de musique du monde un peu partout sur la planète avec Les Bassalindos, son nouveau groupe. Dans leur musique se croisent l'Occident et l'Orient, les violons et les percussions arabes, le oud et les guitares, le français, l'arabe et l'espagnol. Atallah compose la plus grande partie du répertoire du groupe avec son conjoint, le guitariste Danny McLaughlin. Leur premier album, *Escapades*, sort en 2006 sous l'étiquette américaine Bolero Records.

Surnommée la Diva rebelle, elle lutte tout au long de sa carrière contre l'hermétisme du milieu musical populaire québécois qu'elle peine à percer. Elle s'explique mal qu'on tienne à associer ses racines libanaises à son nom à chaque fois qu'elle monte sur scène, alors qu'elle-même ne se gêne pas pour revendiquer son identité québécoise: «C'est curieux et paradoxal. Je suis Québécoise, née au Québec, pas ailleurs au Canada, et l'on me refuse ce droit de me sentir pleinement Québécoise alors que mes amis arabes me disent: toi, tu n'es pas tout à fait Arabe»[2]

Salam, sa chanson en cinq langues, a fait partie d'une exposition au Musée international de la paix et de la solidarité à Samarcande, en Ouzbékistan. Une voix qui a voyagé, donc, mais qu'on aurait gagné à diffuser davantage chez nous.

Christine Atallah est décédée accidentellement le 28 octobre 2011 à l'âge de 45 ans.

---

[2] Reportage «*La Diva rebelle*» de Nadia Zouaoui, Radio-Canada International, 2010.

C'est une fille qui adorait chanter, elle était la chanteuse de la diversité. Elle allait se produire un peu partout dans le monde, pour représenter le Canada, alors qu'au Québec on la voyait surtout dans les événements comme le Festival Nuits d'Afrique ou le Festival du monde arabe, elle qui ne parlait même pas l'arabe ! C'est une femme exceptionnelle, une femme très libre, qui n'avait peur de rien, qui voulait tout apprendre. Quand on parle de femme arabe, on voit cette femme qui est un peu soumise, et elle a brisé cette image. J'ai appris à me libérer avec elle.

- Nadia Zouaoui

Avortement

N'en déplaise au quart des candidats conservateurs à l'élection fédérale du 19 octobre 2015 qui se disait contre, le droit à l'avortement est acquis au Canada depuis le 28 janvier 1988.

Suite à une poursuite intentée par le médecin et militant pro-choix Henry Morgentaler, la Cour suprême abolit l'article 251 du Code criminel du Canada qui empêche jusque-là une femme d'interrompre librement une grossesse. Une décision historique, considérant que l'avortement était criminel depuis la naissance de la Confédération canadienne en 1867.

Interrompre volontairement une grossesse n'est plus (légalement) considéré comme un crime, mais l'accès aux services d'avortement demeure inégal. Les provinces de l'Atlantique fournissent peu de services, même que l'Île-du-Prince-Édouard n'en n'offre pas du tout. Les Territoires du Nord-Ouest et le Nunavut ont au moins un hôpital qui pratique des avortements, mais ont une capacité limitée à fournir des services, notamment après 14 semaines de gestation. Le Québec offre le plus grand accès aux services d'avortement au pays.

L'avortement devient ainsi un droit protégé par la Charte canadienne des droits et libertés, mais un droit maintes fois contesté par une série d'arrêts et de tentatives législatives diverses; depuis 1987, le retour à la criminalisation de l'avortement et le statut juridique du fœtus ont fait l'objet d'une quarantaine de projets de loi et motions déposés au Parlement canadien.

Si aujourd'hui les Canadiennes peuvent décider de mener à terme ou non une grossesse, sans restrictions, le tabou qui entoure le choix d'une interruption résiste. Un peu comme le Voldemort de la santé des femmes, on ne parle pas ouvertement de son avortement. Même en 2016, c'est un deuil qu'on peine à considérer comme tel, qui se vit le plus souvent en secret et accompagné d'une certaine dose de honte.

Dans les années 1960 et 1970, la lutte pour le droit à l'avortement est l'un des principaux enjeux de la deuxième vague du féminisme autant au Canada qu'en Europe ou aux États-Unis.

Chez nous, cette lutte est indissociable du nom Morgentaler. Juif né en Pologne en 1923, Henry Morgentaler s'installe à Montréal en 1950 après avoir été confronté aux horreurs de la Deuxième Guerre mondiale et les camps de concentration. Il poursuit ses études de médecine, puis pratique la médecine familiale avant d'ouvrir sa première clinique d'avortement dans la métropole québécoise en 1969, incidemment la première clinique autonome à offrir des services d'avortement sécuritaires au pays. Celui pour qui «toute mère doit l'être par choix, et tout enfant doit être désiré» va se battre toute sa vie pour la législation de la pratique de l'avortement au Canada. Pour faire avancer les droits des femmes, il aura mené des batailles juridiques, payé des amendes très salées et passé 10 mois en prison. Il est décédé à Toronto le 29 mai 2013 à l'âge de 90 ans.

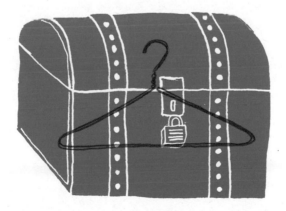

Blonde
Banalisation
Bird, Florence

Blonde

«Bébé, maîtresse, amie de cœur, James Bond Girl, ça fait du monde dans la même blonde», chante Robert Charlebois dans *Les ondes*.

Si le terme «blonde» est déjà utilisé en France au XVIIe siècle pour décrire une amoureuse, une amante ou une fiancée, il est désormais l'affaire exclusive des Québécois. Et ça tombe bien, parce qu'ils ont bien besoin d'un mot qui veut dire «femme avec laquelle je suis engagé» sans dire «épouse», en grands champions nord-américains de l'union libre qu'ils sont. Trente-sept pour cent des couples québécois vivent en union libre. C'est presque trois fois plus que dans le reste du pays.

Les conjoints de fait n'ont pas les mêmes droits que les couples mariés. L'union de fait n'est pas un statut juridique, aucune règle ne régit le partage des biens ou des obligations entre conjoints après une séparation, ce qui peut occasionner de mauvaises surprises, surtout dans les cas où l'un des conjoints n'apparaît pas sur l'acte d'achat et de propriété de la résidence habitée, qu'il gagne considérablement moins d'argent que l'autre ou qu'il est parent au foyer. Plus des deux tiers des enfants québécois naissent de parents vivant en union de fait, et le parent qui obtient la garde après une séparation – habituellement la mère – risque de voir son niveau de vie diminuer.

«Auprès de ma blonde, qu'il fait bon dormir», nous dit la populaire chanson traditionnelle, mais pour s'éviter un réveil brutal, ladite blonde ferait bien de passer signer un contrat de vie commune chez son notaire avant la sieste[3].

---

[3] Voir U : Union

«BÉBÉ, MAÎTRESSE
AMIE DE COEUR,
JAMES BOND GIRL,
ça fait du monde dans la même blonde.»

Il y aurait beaucoup à dire sur les différents types de blondes... Chez un·e ado, on précise si la fille fréquentée est une « p'tite blonde » ou une « blonde steady ». Puis si le couple ne se marie pas, on reste simplement une « blonde ». Le terme reste quand même flou, mais à la base, « blonde » c'est un terme plus amoureux, plus réconfortant, moins « juridique » que « conjointe ». C'est probablement ce qui explique que beaucoup de femmes n'osent pas signer les fameuses ententes de vie commune... comme si plutôt que d'être vu comme un engagement romantique comme peut l'être le mariage, ça venait salir la noblesse du sentiment amoureux. Comme si ça nous rendait soudainement plates et moins désirables.

- Raphaëlle Derome

Banalisation

À travers les époques, le mouvement d'émancipation des femmes a connu quelques obstacles: le système patriarcal, la mainmise de l'Église sur la fécondité féminine, les stéréotypes de genre et le bon vieux sexisme ordinaire, qui s'exprime souvent par la banalisation.

Banalisation de la violence faite aux femmes. En moyenne, une femme est tuée par son partenaire tous les six jours au Canada, et c'est plus de 3 000 Canadiennes qui séjournent quotidiennement dans les refuges d'urgence pour échapper à la violence conjugale.

Banalisation de la violence faite aux femmes autochtones, surtout, qui sont huit fois plus susceptibles d'être victimes d'homicide conjugal que les non-autochtones. Selon l'organisme Femmes autochtones du Québec, plus de 80 % d'entre elles subissent des violences. Ça, c'est quand elles ne disparaissent pas carrément sans qu'on cherche à les retrouver[4].

Banalisation du harcèlement sexuel. En 2014, une femme s'est filmée avec une caméra cachée pendant une longue promenade dans les rues de New York. Dans la vidéo, on la voit se faire accoster une centaine de fois, être sifflée, insultée. Sur la rue, la femme qui marche seule est une cible facile: sifflements, avances et compliments non sollicités, commentaires à caractère sexuel ou attouchements. On culpabilise les femmes en leur disant qu'elles sont provocantes, qu'elles n'ont qu'à ne pas porter telle robe ou tel décolleté, qu'elles ne savent pas accepter les compliments. Banalisation comme dans «blâmer la victime».

Plus du quart des Canadiennes disent avoir été victimes de harcèlement sexuel au travail. Une femme sur cinq avoue que le harcèlement a dépassé les insinuations pour se rendre jusqu'à l'attouchement. Toutefois, la majorité de ces travailleuses ne signalent pas le harcèlement dont elles sont victimes, de peur de ne pas être crues, d'être pénalisées ou de perdre leur emploi.

---

[4] Voir O: Oppal

Banalisation comme dans « culture du silence », parce que, parfois, signaler ne suffit pas. On pense à l'ex-animateur-vedette de la CBC, Jian Ghomeshi, dont les écarts de conduite auraient longtemps été connus et tolérés par la direction avant qu'on lui montre finalement la porte en octobre 2014, dans la foulée des accusations de harcèlement sexuel et de violence portées officiellement contre lui. On pense à Marcel Aubut, sommé dès 2011 par la direction du Comité olympique canadien, dont il est alors le président, de cesser ses comportements déplacés à l'endroit de ses collègues féminines. Allusions sexuelles, attouchements, blagues déplacées… des comportements qui n'ont pas cessé et qui l'ont forcé à démissionner de ses fonctions en octobre 2015. Pour certains commentateurs, Aubut est un « mononcle inoffensif » ou un « ado grossier ». Banalisation comme dans « ne pas prendre au sérieux ».

Banalisation des blagues sexistes, comportement qui semble s'accroître à l'ère des médias sociaux où règnent commentateurs anonymes et autres *trolls*. En octobre 2013, un blogueur décrit la relation sexuelle violente qu'il voudrait avoir avec la comédienne Mariloup Wolf. Elle intente une poursuite contre lui pour atteinte à sa vie privée et à sa dignité personnelle. On dit « c'est juste une blague », on dit qu'aucun mal n'a été fait, parce que c'est vrai, aucun mal *physique* n'a été fait. Et pourtant.

Banalisation de l'image de la femme. Par la publicité sexiste, l'omniprésence de la porno, l'hypersexualisation des jeunes filles ; la femme confinée au rôle d'objet, un corps dont on peut disposer, qu'on peut critiquer, un corps comme celui d'une poupée. Banalisation comme dans « culture du viol »[5].

---

[5] Voir : Viol

Je suis mère et je vois à quel point ce qui était du domaine du caché, de l'intime à une certaine époque, est étalé maintenant sur la place publique. Pensons par exemple à la culture du viol. On pense encore que la femme, par la façon dont elle est habillée, dont elle circule, par les signaux qu'elle envoie, peut être responsable du viol et ça, même si dans les tribunaux on a arrêté de rendre les femmes responsables de ces attaques.

- Julie Miville-Dechêne

Bird, Florence

Née à Philadelphie et arrivée au Canada en 1931, Florence Bird, née Rhein, est journaliste et communicatrice. Elle est commentatrice de nouvelles pour la CBC de 1942 à 1966 et s'intéresse à la question des droits des femmes à travers les documentaires qu'elle produit.

Si son nom est aujourd'hui indissociable du féminisme canadien, c'est qu'en 1967, le premier ministre Lester B. Pearson la nomme présidente de la Commission royale d'enquête sur la situation de la femme au Canada. Une commission qui a adopté son nom, Bird, et qui a déposé en 1970 un rapport aussi déconcertant que volumineux, mettant en lumière l'étendue des inégalités entre les sexes au pays.

La commission Bird est mise en branle à la fin des années 1960, période de grands changements sociaux au Canada comme ailleurs en Occident; le mouvement pour les droits de la personne s'intensifie et la deuxième vague du féminisme se déploie, soulevant les questions de la discrimination faite aux femmes sur le marché du travail, de la violence conjugale et des droits liés à la procréation.

Le but de cette commission d'enquête est de faire état des inégalités, puis de présenter des recommandations de mesures à adopter par le gouvernement fédéral afin de mettre un terme à ces inégalités. Quatre cent soixante-huit mémoires et environ 1 000 lettres d'opinions sont reçus et considérés dans le cadre de cette commission, et des audiences publiques – lors desquelles sont entendues presque 900 personnes – se tiennent dans 14 grandes villes canadiennes.

Résultat : 167 recommandations touchant à l'équité salariale, à la régulation des naissances, aux congés de maternité et aux pensions, entre autres, et tout un volet concernant spécifiquement les problèmes vécus par les femmes autochtones. Bref, les bases du travail à accomplir en condition féminine pour que les choses changent.

Un an après le dépôt du rapport de Florence Bird, le poste de ministre responsable de la Condition féminine est créé, et plusieurs programmes fédéraux adoptés au fil des années 1970 en découlent directement.

Après la Commission royale d'enquête qui a aidé à améliorer la condition des femmes au Canada, Bird poursuit son travail de journaliste, est nommée sénatrice en 1978 et continue de promouvoir les droits des femmes en intervenant notamment auprès d'organisations des Nations unies. En 1985, elle reçoit le Prix du Gouverneur général en commémoration de l'affaire «personne»[6] et en 1999, les bureaux de Condition féminine Canada inaugurent la Bibliothèque commémorative Florence Bird à Ottawa.

---

[6] Voir E : Henrietta Edwards

Collectif CLIO

Cadron-Jetté, Rosalie

Carney, Mark

Collectif CLIO

Les femmes sont sous-représentées dans les livres et les cours d'histoire. La moitié de la population est reléguée à quelques encadrés. Pourtant, l'histoire des femmes est nécessaire à la compréhension des enjeux actuels du féminisme : ce pour quoi elles ont lutté, les droits qu'elles ont obtenus, la teneur des combats menés... C'est en gardant tout ça en tête qu'il est possible de poursuivre le travail, et surtout, de ne pas perdre nos acquis.

La mémoire étant une faculté qui oublie, on peut remercier le collectif Clio d'avoir publié, en 1982, *L'histoire des femmes au Québec depuis quatre siècles*. Premier ouvrage de référence portant sur l'histoire des Québécoises, il est le fruit du travail de quatre spécialistes de l'histoire des femmes.

Micheline Dumont oriente ses recherches vers l'histoire des femmes après avoir signé un texte marquant : « Histoire de la situation de la femme dans la province de Québec », publié dans le cadre de la commission Bird en 1971[7]. Elle enseigne à l'Université de Sherbrooke de 1970 jusqu'à sa retraite en 1999 et publie une dizaine de livres et quelques centaines d'articles, notamment sur l'histoire des enseignantes et des religieuses. Pionnière de la recherche en histoire des femmes au Québec, elle donne fréquemment des conférences.

Michèle Stanton-Jean travaille comme journaliste pour des publications comme *La Revue moderne* (devenue *Châtelaine*) et *Les Têtes de pioche*, avant d'entreprendre des études supérieures. Elle est titulaire d'une maîtrise en histoire, d'une maîtrise en éducation des adultes et d'un doctorat en sciences humaines appliquées. Elle occupe plusieurs postes importants dans la fonction publique fédérale et québécoise tout au long de sa carrière, dont celui de sous-ministre de la Santé du Canada de 1993 à 1998. Grande intellectuelle, elle défend sans relâche les droits des femmes.

---

[7] voir B : Florence Bird

Marie Lavigne est historienne de formation et mène une carrière de gestionnaire dans l'administration québécoise: au Conseil du statut de la femme de 1988 à 1995, au Conseil des arts et des lettres du Québec de 1995 à 2002 et à la Société de la Place des Arts de Montréal de 2002 à 2012. Chevalière de l'Ordre national du Québec depuis 2014, elle est membre de plusieurs conseils d'administration, dont celui du Festival TransAmériques.

Jennifer Stoddart obtient une maîtrise en histoire, puis abandonne son doctorat dans cette même discipline pour se tourner vers le droit. Elle amorce sa carrière d'avocate à la Commission canadienne des droits de la personne et occupe le poste de commissaire à la protection de la vie privée du Canada de 2003 à 2013. Personnalité influente du système juridique canadien, elle attribue son intérêt pour les droits de la personne à ses études de maîtrise sur le droit des femmes.

Ce sont donc quatre historiennes qui, au début des années 1980, refusent qu'on fasse passer l'histoire de la moitié masculine de la population québécoise pour l'histoire collective de toute la population. Elles sont convaincues que l'histoire des femmes, entre autres liée à la famille et à la santé, mérite d'être racontée.

Le collectif Clio revisite son ouvrage phare en 1992 et y ajoute 150 pages de nouveau matériel pour inclure les changements vécus dans les années 1965 à 1990 – qualifiées d'«années d'éclatement et d'affirmation» – et se faire le témoin de la multiplication des voix des femmes qui commence à s'opérer alors qu'elles occupent de plus en plus de nouveaux territoires.

Beau succès d'édition, *L'histoire des femmes au Québec depuis quatre siècles* se serait écoulé à près de 35 000 exemplaires. Grâce au travail du collectif Clio, on garde des traces de l'évolution du rôle des femmes dans la société québécoise et on possède enfin une base solide sur laquelle continuer à bâtir.

L'histoire des femmes au Québec
est un livre qui fait que plusieurs
Québécoises sont devenues
féministes. C'est la première
fois qu'on a regroupé tout ce qui
intéressait et concernait les femmes
au Québec. Il mériterait une autre
mise à jour. Micheline Dumont
me disait que ce qui est dommage,
c'est que l'histoire des femmes fasse
encore l'objet d'encadrés et ne fasse
pas partie des livres d'histoire
au même titre que l'histoire des
hommes. On en est encore à une
histoire séparée des femmes;
il faudrait qu'on unisse les deux
pour faire une véritable histoire
du Québec.

- Julie Miville-Dechêne

Cadron-Jetté, Rosalie

Au milieu du XIXᵉ siècle, au Bas-Canada, un nombre grandissant de filles-mères cherchent un endroit où accoucher. Cette nouvelle réalité sociale est vue d'un mauvais œil dans le contexte puritain de l'époque.

À Montréal, les filles-mères étaient souvent très jeunes, célibataires, catholiques et venaient pour la plupart des campagnes environnantes. Méprisées et rejetées, elles ont pu compter sur le dévouement de Rosalie Cadron-Jetté, qui leur a consacré les vingt dernières années de sa vie.

Née à Lavaltrie en janvier 1794, celle-ci se marie à l'âge de 17 ans à Jean-Marie Jetté, de 16 ans son aîné. Le couple sans instruction s'installe à Montréal en 1827 alors qu'il ne possède plus rien, ayant tout perdu après l'achat d'une terre dont le vendeur n'était en fait pas le propriétaire légal. Ils auront onze enfants dont cinq mourront en bas âge. Jean-Marie Jetté succombe à l'épidémie de choléra qui frappe le Bas-Canada en 1832. Rosalie Cadron-Jetté se retrouve veuve avec sept enfants, dont quatre sont encore à sa charge.

C'est à ce moment qu'elle commence à se consacrer aux plus démunis – et ce ne sont pas les démunis qui manquent à Montréal, qui traverse alors une crise économique importante – auprès de l'évêque du diocèse de Montréal, Ignace Bourget, qui lui confie les mères célibataires qui se présentent à lui. Elle s'occupe de les placer dans les familles prêtes à les accueillir dans le secret et elle effectue les suivis de grossesse.

Aucun service n'existe pour venir en aide aux mères célibataires quand elle fonde l'Hospice de Sainte-Pélagie le 1er mai 1845, dans le grenier d'une maison anonyme. Les mères y sont accueillies dans des conditions précaires et Rosalie Cadron-Jetté est souvent seule en charge, prête à affronter les préjugés de l'époque.

En 1848, avec sept consœurs de l'hospice, elle prononce ses vœux de religion et ensemble, elles forment la communauté des Sœurs de la Miséricorde. Leur mandat étant expressément d'assister les femmes en situation de maternité hors mariage et les mères vivant difficilement leur maternité, elles suivent une formation de sage-femme. Entre 1845 et 1866, presque 3 000 filles-mères sont admises à l'Hospice de Sainte-Pélagie dans la plus grande discrétion.

En 1850, le Collège des médecins s'en mêle et demande un accès à la clientèle de l'hospice ainsi qu'à l'expertise des sœurs – malgré leur désaccord – pour former ses étudiants. Cinq ans plus tard, les sœurs sont contraintes de réviser leur constitution et doivent dès lors recourir aux services de médecins et de sages-femmes laïques. Le pouvoir médical s'approprie en quelque sorte l'œuvre fondée par Rosalie Cadron-Jetté et les Sœurs de la Miséricorde.

La santé de Rosalie Cadron-Jetté décline à partir de 1859 et elle s'éteint le 5 avril 1864. Reconnue comme vénérable par l'Église catholique, elle prête désormais son nom à une école spécialisée de Montréal qui se voue à l'accueil des adolescentes enceintes et des jeunes mères qui souhaitent poursuivre leurs études secondaires dans des conditions adaptées à leur réalité. Le taux de grossesse chez les adolescentes connaît une diminution au Canada depuis les années 1970, mais l'isolement, le manque d'éducation et la pauvreté sont toujours le lot de plusieurs de ces jeunes mères.

Les tensions entre médecins et sages-femmes sont encore là. Bien des femmes veulent se réapproprier leur corps et leur expérience d'accouchement et s'impliquent dans le mouvement pour humaniser les soins entourant la grossesse, l'accouchement et l'allaitement. Quoi qu'on en dise, même si la maternité n'est plus le seul destin qu'on entrevoit pour les femmes, donner naissance reste une expérience majeure et un rite de passage important dans la vie d'une femme.

- Raphaëlle Derome

Carney, Mark

Au printemps 2013, quand la Banque d'Angleterre annonce qu'elle remplacera en 2016 le visage de la réformatrice des prisons et philanthrope du XIXe siècle Elizabeth Fry par celui de l'ancien premier ministre Winston Churchill sur les billets de cinq livres, les critiques ne tardent pas à se faire entendre; c'est la seule figure féminine à apparaître sur une coupure britannique, outre la reine Elizabeth, qu'on élimine ainsi. Pour les féministes, il s'agit d'une occasion ratée de donner une plus grande place aux femmes au Royaume-Uni, d'autant plus que Winston Churchill s'était ouvertement prononcé contre le droit de vote des femmes au début du XXe siècle...

Puis vient la nomination d'un nouveau patron à la Banque d'Angleterre, un certain Mark Carney, qui entend les protestations des groupes féministes et amorce la discussion à propos de la représentation des femmes sur les billets de banque dès son premier jour en poste. Il en fait même une priorité. En juillet 2013, moins d'un moins après son entrée en fonction, Carney propose de rendre hommage à l'écrivaine Jane Austen sur les futurs billets de 10 livres, qui devraient être mis en circulation en 2017.

Un mois plus tôt, il avait nommé Charlotte Hogg au poste de directrice opérationnelle de la Banque centrale, le poste le plus important occupé par une femme à la banque d'Angleterre en plus de 300 ans d'existence! Il a plus d'une fois fait part de son intention de nommer plus de femmes économistes à tous les échelons de pouvoir, afin que la banque ressemble davantage au pays qu'elle est censée représenter, et il a manifesté le souhait de voir une femme lui succéder au poste de gouverneur.

Mark Carney est né à Fort Smith, dans les Territoires du Nord-Ouest, en 1965. Il fait des études d'économie à l'Université de Harvard, puis obtient sa maîtrise de l'Université d'Oxford. Il agit comme sous-ministre délégué principal des Finances et représentant du Canada auprès du G7 avant d'être nommé à la tête de la Banque du Canada en février 2008. Il devient le premier directeur non britannique de l'histoire de la Banque d'Angleterre le 1er juillet 2013.

Les femmes occupent en moyenne 20 % des postes d'influence. C'est bien peu, considérant que le niveau de scolarité des femmes a dépassé celui des hommes au Canada. On peut donc remercier ceux et celles qui, comme Mark Carney, donnent quelque chose comme un petit coup de talon dans le plafond de verre. En attendant, on se réjouit à l'idée qu'une première Canadienne (dont l'identité n'a pas encore été dévoilée) fasse une apparition sur nos billets de banque en 2018.

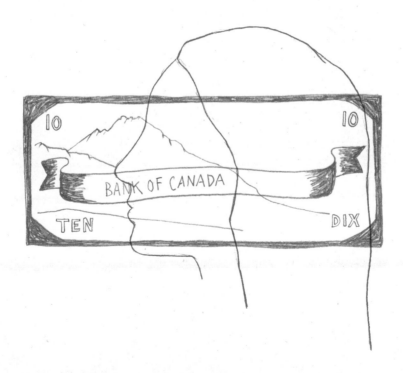

Don Juan d'Autriche

Dupré, Louise

Desmond, Viola

Don Juan d'Autriche

Peut-on imaginer plus belle consécration pour un homme que de voir son nom associé à un populaire jouet sexuel? (Oui, on peut, mais il n'y a pas de petits honneurs.) Don Juan d'Autriche est un prince espagnol, fils illégitime de l'empereur romain Charles Quint et commandant des armées espagnoles au XVIe siècle. Pour des raisons qui demeurent obscures, son nom est synonyme de godemichet, ou godemiché, ou *dildo* en anglais, ou gode, pour faire court. Si les Inuits ont des dizaines de mots pour décrire la neige, nous ne manquons pas de vocabulaire quand vient le temps de nommer un «accessoire en forme de phallus en érection».

Le mot «godemichet» vient du latin médiéval *gaude mihi*, qui veut dire «réjouis-moi». Et c'est exactement ce que s'efforce de faire cet objet – aujourd'hui disponible dans toutes les tailles, couleurs, textures et formes –, possiblement depuis 30 000 ans! On aurait en effet trouvé un godemichet de pierre datant du paléolithique supérieur dans la grotte de Hohle Fels en Allemagne. La nature de l'usage qu'on en faisait à l'époque demeure toutefois incertaine.

Dans l'Antiquité, les Grecs utilisaient une forme de godemichet en cuir appelé *olisbos*, et en -411 av. J.-C., dans sa pièce *Lysistrata*, Aristophane évoque «un joujou de huit doigts, qui procure la piètre assistance de son cuir». Dans les *Mille et une nuits*, on mentionne différents fruits, légumes et autres objets de forme phallique utilisés à des fins de stimulation sexuelle. Dans le *Satiricon* de Pétrone, qui date de 1482, il est question d'un «phallus de cuir» utilisé pour soigner la défaillance sexuelle du narrateur, Encolpe.

Pendant la Révolution française, le climat de liberté aidant, on retrouve des godemichets en ivoire qui seront éventuellement remplacés par des «consolateurs» en caoutchouc dès le Second Empire.

C'est quand même extraordinaire que ça existe, ce mot-là ! Chéri, passe-moi le Don Juan d'Autriche ! C'est assez romantique et chevaleresque en fait, et j'espère lancer une mode avec cette terminologie. L'objet devrait faire partie de la trousse d'urgence de toute femme moderne, qu'elle soit célibataire, en couple, jeune, vieille, féministe, ou pas.

- Josée Blanchette

De nos jours, quand une nouvelle technologie fait son apparition, il ne faut pas attendre bien longtemps pour qu'elle soit récupérée à des fins sexuelles. Grâce à la cyberdildonique, nos jouets sexuels sont désormais connectés à nos téléphones intelligents et peuvent être activés à distance.

Dans le célèbre rapport Kinsey sur le comportement sexuel humain, publié en 1948, on apprenait que 62 % des femmes se masturbaient. Dans les années 70, à peine 1 % des femmes utilisait un jouet sexuel alors que c'est maintenant le cas de 53 % d'entre elles. La grande majorité des utilisatrices sont en couple.

Le chiffre d'affaires de l'industrie du jouet sexuel atteint 22 milliards de dollars annuellement dans le monde. Dix-neuf pour cent des ventes sont attribuées aux vibrateurs et 16 % aux godemichets. De toutes les options disponibles sur le marché, il faut avouer qu'un jouet nommé d'après un prince de la dynastie des Habsbourg, c'est quand même plus chic qu'un modèle inspiré de l'acteur porno John Holmes !

Dupré, Louise

Poète, dramaturge, romancière et essayiste née à Sherbrooke en 1949, Louise Dupré s'est fait connaître grâce à un premier roman fort remarqué, *La memoria* (1996), histoire d'une rupture, d'un abandon qui ravive les blessures du passé.

Louise Dupré n'a cessé d'explorer le féminin sous tous ses angles. De sa thèse de doctorat portant sur la nouvelle poésie québécoise au féminin à la fin des années 1980 à son exploration de la vie de sa mère dans son récit autobiographique *L'album multicolore*, paru en 2014, elle sonde l'intériorité des femmes.

Même quand elle raconte l'horreur subie par les enfants d'Auschwitz dans *Plus haut que les flammes*, recueil pour lequel elle a remporté le Prix littéraire du Gouverneur général en 2011, quand elle s'attarde à l'Histoire avec un grand H, elle nous parle en fait de l'intime, des sentiments profonds des femmes, de leurs désirs cachés, de ce qui les façonne et les fait vibrer. Elle nous parle de nous.

Elle écrit des romans résolument contemporains, des romans d'amour qui n'ont pas peur d'en être, des histoires d'amantes éconduites et de filles qui cherchent leur mère, de femmes essayant d'échapper au destin en traçant leur propre chemin. Sa poésie raconte la douleur, mais elle est pleine d'espoir, de lucidité et de lumière. Elle se savoure lentement et touche droit au cœur par son authenticité.

Femme de tous les talents, Louise Dupré a collaboré à de nombreuses publications au Canada et à l'étranger à titre de critique littéraire. Elle a dirigé la revue *Voix et images* de 1988 à 1995 et a été reçue à l'Académie des lettres du Québec en 1999. Professeure associée au département d'études littéraires de l'Université du Québec à Montréal, elle a pris sa retraite de l'enseignement en 2008.

L'écriture au féminin peine encore à être considérée au même titre que celle des hommes. Elle ne bénéficie pas du même prestige, ni d'une visibilité équivalente dans les médias. Pourtant, lire Louise Dupré, c'est voir le monde avec clarté. Il y a quelque chose de résolument universel dans ses mots, quelque chose qui reste longtemps après que le livre ait été refermé. Quelque chose digne d'un grand talent.

Louise Dupré est la seule femme à avoir participé à l'Abécédaire et à y avoir été nommée.

Une écrivaine qui n'a cessé de décrire le féminin, qui est évidemment féministe. Non seulement son œuvre est lumineuse, riche, sensible, profondément plongée dans la psyché féminine, mais Louise Dupré a enseigné à toute une génération d'hommes et de femmes à qui elle a donné le goût et le besoin d'écrire. Et ça, c'est extraordinaire.

- Brigitte Haentjens [8]

[8] En 2006, Brigitte Haentjens mettait en scène la pièce *Tout comme elle*, un texte de Louise Dupré porté par cinquante actrices.

Desmond, Viola

On connaît bien Rosa Parks, cette célèbre Afro-Américaine qui avait refusé de céder son siège à un Blanc dans un autobus de Montgomery, en Alabama. On connaît moins Viola Desmond, qui a posé un geste comparable chez nous, neuf ans plus tôt. Le 8 novembre 1946, dans un cinéma de New Glasgow en Nouvelle-Écosse, elle refuse de se déplacer pour s'asseoir dans la section réservée aux Noirs, au balcon.

Née en 1914 à Halifax, Viola Desmond est une propriétaire de salon de coiffure sans histoire. De passage à New Glasgow, elle entre dans un cinéma et s'installe au parterre, ne sachant pas que seuls les Blancs y sont admis. On lui demande de se déplacer, elle refuse et propose de payer la différence de prix pour une place au parterre, mais on fait venir la police et on la fait sortir de force. Viola Desmond passe la nuit en prison et est accusée de fraude fiscale. On lui colle une amende de 20 $, une fortune pour l'époque. Elle a 32 ans. Avec l'aide de la Nova Scotia Association for the Advancement of Coloured People, elle en appelle de la décision devant la Cour suprême de la Nouvelle-Écosse qui refusera de tenir compte de la question de discrimination raciale et confirmera la déclaration de culpabilité.

Au XIXe siècle, 30 000 à 40 000 esclaves en quête de liberté sont entrés au Canada grâce au chemin de fer clandestin, réseau secret d'abolition-nistes qui aidait les Afro-Américains à fuir le sud des États-Unis pour rejoindre les États libres du nord. Ils s'installent un peu partout au pays, dans les grandes villes, mais aussi dans des collectivités noires comme la colonie d'Elgin près de Chatam, en Ontario, ou à Birchtown, en Nouvelle-Écosse. La ségrégation raciale n'a jamais été officiellement inscrite dans la loi, mais elle a bel et bien existé. Avec la proclamation de la Common Schools Act de l'Ontario en 1851, par exemple, on trouvera des écoles séparées pour les Noirs, surtout à l'ouest de Toronto.

Viola Desmond est une figure incontournable du mouvement des droits civils au Canada, une pionnière qui s'est battue pour ses principes. Son expérience a conduit à l'abolition des pratiques ségrégationnistes en Nouvelle-Écosse en 1954. Pourtant, son nom est absent des livres d'histoire et on peine à lui rendre un hommage à la hauteur de son combat.

Le gouvernement de la Nouvelle-Écosse lui fait officiellement ses excuses en 2010, soit 45 ans après son décès, et le tout premier pardon de l'histoire du Canada lui est accordé de façon posthume. En 2010, la Chaire de recherche en justice sociale Viola Desmond est établie à l'Université du Cap-Breton et, en 2012, Postes Canada lance un timbre-poste à son image.

É

Égal
Épilation
Edwards, Henrietta

Égal

Égal comme dans «À travail égal, salaire égal», l'une des principales préoccupations du mouvement féministe. Le nerf de la guerre. Encore aujourd'hui, les femmes gagnent en moyenne 10 000 $ de moins que les hommes[9].

Au cœur des luttes féministes, il y a l'objectif déclaré d'abolir les inégalités qui perdurent entre les sexes. Inégalités qui se manifestent souvent par une forme de sexisme discret et sournois, et ce, dans toutes les sphères d'activité de la société. Que ce soit dans le système juridique, dans la conception et le partage du travail, dans l'éducation ou dans le traitement du corps de la femme, nos sociétés occidentales progressent, mais la balance penche toujours d'un côté, et on sait duquel il s'agit.

Le mouvement des femmes au Canada a permis, depuis la fin du XIXe siècle, d'obtenir une certaine forme d'égalité. Mais contrairement au discours ambiant qui voudrait souvent nous faire croire que la partie est gagnée, ce n'est pas encore le cas, entre autres parce qu'en une décennie de pouvoir conservateur sous Stephen Harper, de 2006 à 2015, le Canada a pris du recul quant à l'égalité hommes-femmes. Le niveau de pauvreté des femmes est en hausse, tant chez les aînées vivant seules que chez les mères de famille monoparentale. Le gouvernement Harper a éliminé le droit de recourir aux tribunaux pour faire respecter l'équité salariale dans la fonction publique fédérale en plus d'avoir sabré les budgets de l'organisme Condition féminine Canada, chargé de promouvoir l'égalité entre les sexes. Pour toutes ces bonnes raisons, on a toujours besoin du féminisme.

---

[9] Voir R: Rémunération

À l'heure de la charte de la laïcité, à l'heure de l'équité salariale, des conseils d'administration qui sont surtout représentés par la gent masculine, de l'arène politique qui est encore très débalancée, le mot « égalité » est sur toutes les lèvres. On peut parler de supériorité lorsqu'on se penche sur les diplômés universitaires : 27,6 % de femmes contre 22,6 % d'hommes chez les 25-44 ans, mais plus on vieillit, moins c'est vrai. On penserait que qui dit diplôme dit salaire plus élevé. Eh bien, non ! Pas encore ! Mais ça ne saurait tarder, si les femmes se décident à négocier ou à mettre leur petit pied en avant – ou à se laisser pousser la barbe, pourquoi pas ?

- Josée Blanchette

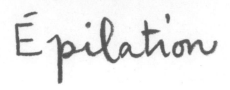

Épilation

En termes d'investissement de temps, d'argent et d'efforts, la chasse aux poils est un peu l'équivalent de la pratique d'un sport d'élite sans les bénéfices ou le sentiment d'accomplissement. Ou le plaisir. Rasage, épilation à la cire, au sucre, au fil, au laser ou à la lumière pulsée, à l'électrolyse... Les outils sont multiples, le niveau de douleur est variable et le résultat est le plus souvent éphémère.

Une femme passera en moyenne 58 jours de sa vie à s'épiler. CINQUANTE-HUIT JOURS. Ce qui équivaut à 1 392 heures qu'elle ne reverra jamais. Une femme dépensera entre 10 000 $ et 23 000 $ dans sa vie dans le but de se débarrasser des poils indésirables. Et elle enfilera rarement un maillot de bain en public de manière tout à fait spontanée...

Si 86 % des femmes voient le rasage comme une tâche désagréable, 82 % l'estiment essentiel à leur routine beauté. Et ça ne date pas d'hier. Cette culture de l'épilation daterait en fait du 3e millénaire avant J.-C.

Dans l'Égypte antique, la pilosité était considérée comme un symbole d'animalité, et donc d'impureté. Les Égyptiens commencent à utiliser la pince à épiler près de 2 500 ans avant notre ère. C'était avant qu'ils se mettent à dormir dans des lits, et même avant qu'ils inventent le papyrus.

Les rois et les reines de Mésopotamie et de Phénicie se sont épilés, tout comme les Grecs et les Romains de l'Antiquité qui ont pratiqué tantôt le brûlage des poils grâce à des coquilles de noix chauffées, tantôt l'arrachage à l'aide d'une cire à base de résine de pin. Au Moyen-Âge, les femmes s'épilent notamment le front pour correspondre aux canons de beauté de l'époque.

En Occident, on donne au poil le droit de pousser en paix pour une période de près de cinq siècles allant de la chute de l'Empire romain, en 476 après J.-C, jusqu'à la fin de la Première Guerre mondiale. Avec la révolution vestimentaire et la mode des loisirs de plein air, les jupes raccourcissent, les décolletés s'élargissent, et on renoue avec nos bonnes vieilles habitudes de l'épilation des jambes, des aisselles et du maillot.

Ça fait donc des siècles qu'on rivalise d'imagination pour faire la guerre à notre pilosité. Un échec continuellement répété.

Puis il y a l'épineuse (!) question du poil pubien... On s'étonne de la popularité de l'épilation intégrale chez les jeunes filles aujourd'hui, mais même à l'Antiquité la pratique était courante. Courante, mais jamais la norme... jusqu'au triomphe actuel du lisse pour lequel on peut entre autres remercier l'influence de la porno. Longtemps jugé érotique, le poil pubien disparaît avec l'essor des magazines comme *Penthouse* ou *Playboy* qui le chassent de leurs photos pour contourner la censure. Le sexe imberbe devient la norme, une norme à laquelle on se plie souvent sans vraiment se demander pourquoi.

Depuis quelques années, on sent une volonté de réappropriation de la pilosité par les femmes, grâce à des mouvements comme *Decembeaver* (un genre de *Muvember* du pubis pour les femmes, en décembre) et *Januhairy* (on gèle en janvier, quel bon moment pour se laisser pousser le poil des jambes!). La jeune photographe torontoise Petra Collins, dont le compte Instagram a été suspendu en 2013 après qu'elle a mis en ligne un autoportrait où son poil pubien dépassait de sa culotte de maillot, ou même la marque d'origine montréalaise American Apparel, toujours friande de provocation, qui a mis en vitrine, en janvier 2014, des mannequins vêtus de sous-vêtements transparents laissant voir une généreuse pilosité pubienne digne des années 1970, ont aussi contribué à cette réappropriation du poil. Parce qu'au-delà d'une phobie de l'animalité, de préoccupations d'ordre hygiénique, d'un effet de mode ou des diktats patriarcaux, la femme est de nature poilue et sa féminité ne devrait pas passer par de douloureuses et répétitives altérations.

C'est un mystère pour moi et un objet de révolte depuis que je suis adolescente. On m'a toujours dit que les poils féminins étaient disgracieux, alors je m'interroge… Qu'ont-ils donc de si laid, les poils féminins, qu'il nous faille absolument passer autant d'énergie, de temps et d'argent à les enlever ? À quoi ça correspond exactement ? J'invite toutes les femmes à se révolter ! Je ne vois pas pourquoi les poils ne pourraient pas dépasser du maillot de bain. Cessez de vous épiler !

- Brigitte Haentjens

Edwards, Henrietta

En 1921, les Canadiennes ont le droit de voter et de se porter candidates aux élections fédérales. Les groupes de femmes commencent dès lors à demander qu'on nomme une femme au sénat. À l'époque, l'Acte de l'Amérique du Nord britannique (mieux connu aujourd'hui sous le titre de Loi constitutionnelle de 1867) dicte que seules «les personnes qualifiées» peuvent être nommées au sénat.

L'affaire Edwards c. A.G. of Canada, ou affaire «personne», est lancée par celles qu'on surnomme les «Cinq femmes célèbres» de l'Alberta: un groupe de militantes pour les droits de la femme formé de la juge Emily Murphy et de ses acolytes Henrietta Muir Edwards, Nellie McClung, Louise Crummy McKinney et Irene Parlby. En 1927, elles demandent à la Cour suprême du Canada de déterminer si le mot «personne» désigne également les femmes. Cinq semaines plus tard, la Cour suprême tranche: les femmes ne sont pas des «personnes» selon l'Acte de l'Amérique du Nord britannique de 1867. Elles ne peuvent donc pas être nommées au sénat.

Ces Cinq femmes célèbres, dont la réputation n'est plus à faire, portent leur cause devant le Conseil judiciaire du Conseil privé de la Grande-Bretagne, alors le plus haut tribunal au Canada.

Elles réussissent à faire infirmer la décision de la Cour le 18 octobre 1929. Lord Sankey, qui prononce le jugement au nom du Conseil privé, dira: «Aux personnes qui se demandent si le mot "personnes" doit comprendre les femmes, la réponse est évidente: pourquoi pas?»

Cette affaire ouvre le sénat aux femmes, et la reconnaissance de leur statut juridique de «personne» signifie qu'on ne peut plus leur refuser certains droits.

La première sénatrice canadienne, Cairine Wilson, prête serment quelques mois plus tard, le 15 février 1930. Aujourd'hui, plus du tiers des sièges au sénat canadien sont occupés par des femmes.

Henrietta Edwards, née à Montréal en 1849 dans une famille riche, s'impliquera toute sa vie pour la cause féministe. Elle est particulièrement préoccupée par la question des allocations familiales et la réforme carcérale. À 26 ans, elle fonde une association qui offre des cours de formation professionnelle aux femmes, puis elle devient rédactrice en chef de la revue *Women's Work in Canada*. Elle participe à la mise en marche du Conseil national de la femme en 1893 et force l'adoption de la loi sur le douaire en 1917. Elle décède en 1931 à Fort Macleod, en Alberta.

Avec ses acolytes des Cinq femmes célèbres, Henrietta Edwards représente l'activisme politique de toute une génération. On a souligné leur contribution à l'avancement des droits des Canadiennes en 2000 avec l'inauguration d'une statue de bronze baptisée *Les femmes sont des personnes!*, réalisée par l'artiste d'Edmonton Barbara Paterson.

Fortune, Rose

Femen

Fesses

Fortune, Rose

Celle qu'on considère comme la première femme policière au Canada est une loyaliste noire, fille d'esclaves. Voilà une histoire vécue qui ferait un film inspirant. Tellement qu'on s'étonne que ça n'ait pas encore été fait.

Rose Fortune est née en Virginie en 1774 de parents esclaves. Pendant la Révolution américaine, sa famille émigre au Canada. À l'âge de sept ans, elle se retrouve dans la vallée de l'Annapolis, en Nouvelle-Écosse, là où la plupart des loyalistes vont s'établir après l'indépendance américaine, parce qu'on y parle anglais et parce que la colonie néo-écossaise a un grand potentiel économique.

Bien avant que le mouvement féministe canadien se mette en branle, à une époque où il n'est pas facile pour les loyalistes noirs venus au Canada de gagner leur vie et où l'on est encore loin d'encourager les femmes à se lancer en affaires, Rose Fortune devient entrepreneure. Elle fonde d'abord une compagnie de bagages, qui deviendra Lewis Transfer. Équipée d'une simple brouette, elle fait l'aller-retour entre les navires et les auberges des environs. La compagnie devient lucrative, si bien qu'en 1841, les charrettes tirées par les chevaux remplacent les brouettes et que les descendants de Rose Fortune continuent à la diriger jusqu'en 1960. Elle implante également un service de réveil rappelant aux touristes l'heure de départ de leurs navires.

Ce que l'on sait de Rose Fortune: elle est une figure marquante de la première moitié de XIXe siècle dans la ville d'Annapolis Royal. Toute sa vie, elle protège son entreprise bec et ongles, punissant sévèrement les jeunes garçons qui espèrent lui faire compétition, imposant un couvre-feu autour des quais et dans les quartiers environnants, renforçant la loi instaurée avec la fondation de la ville d'Annapolis Royal.

C'est comme ça qu'on en vient à la considérer comme la première policière canadienne. Elle fait respecter la loi et ramène les jeunes indisciplinés dans le droit chemin. Elle connaît tout le monde en ville et tout le monde la connaît.

L'une des rares images qu'on a d'elle, une aquarelle peinte vers 1830, la montre dans la cinquantaine, portant une robe et un tablier sous un manteau d'homme, chaussée de bottes d'homme et un chapeau de paille noué sous le menton. Elle incarne la détermination.

Décédée le 20 février 1864, Rose Fortune laisse un héritage symbolique fort: l'Association of Black Law Enforcers a créé une bourse en son nom, et l'une de ses descendantes, Daurene Lewis, a été la première femme noire élue mairesse en Amérique du Nord. Près de 150 ans après le décès de Rose Fortune, les femmes composent environ 21 % de l'ensemble des corps policiers au Canada. Leur nombre augmente de façon constante depuis les années 1960.

J'ai toujours été fascinée par les femmes pionnières dans les métiers traditionnellement masculins. Je le suis encore plus lorsqu'il s'agit d'une femme d'une minorité visible ET fille d'esclaves ! C'est intéressant de voir tout l'héritage de cette famille à travers l'histoire du Canada, ça m'a beaucoup inspirée.

- *Cathy Wong*

Femen

Elles ont des fleurs dans les cheveux, le poing brandi bien haut et... la poitrine dénudée ornée de messages revendicateurs: «Ma chatte, mes droits», «Femen pas FN», «Pope No More» ou «Crucifix, décalisse» pour ne nommer que certains des plus colorés. Les Femen ne sont peut-être pas (encore) légion, mais elles font beaucoup de bruit.

Fondé par les étudiantes Anna Hutsol, Alexandra Chevchtchenko et Oksana Chatchko, le mouvement féministe radical et controversé Femen naît en Ukraine en 2008, dans un contexte où, traditionnellement, les hommes décident et les femmes se soumettent. Depuis, il a inauguré des branches dans une dizaine de pays, dont au Canada où une vingtaine de membres sont actives, surtout au Québec.

L'idéologie de Femen s'oriente autour du féminisme, de l'athéisme et du «sextrémisme». Ce mot-valise composé de «sexe» et d'«extrémisme» se veut l'incarnation de la rébellion de la sexualité féminine contre le patriarcat dans des actions politiques extrêmes. Des actions provocatrices, mais non violentes. Des actions qui rient au nez des conventions, qui s'attaquent à l'exploitation sexuelle, au contrôle politique et religieux du corps de la femme, à l'uniformité de l'image féminine à laquelle on est constamment confrontées.

Mouvement revendicateur qui mise sur la provocation pour livrer ses messages, Femen utilise le corps comme outil politique; la poitrine libérée de sa connotation érotique est un haut-parleur qui clame haut et fort et en couleurs que la femme n'appartient qu'à elle-même.

Devant l'ambassade d'Iran à Kiev en 2010, elles protestent contre la condamnation à mort par lapidation pour adultère de l'Iranienne Sakineh Mohammadi Ashtiani. En juin 2012, devant le stade national de Varsovie, avant le coup d'envoi de l'Euro 2012, elles sont quatre à dénoncer la prostitution et le tourisme sexuel qu'attirent les événements sportifs du genre. À Paris en février 2013, neuf membres des Femen dégradent une cloche de Notre-Dame-de-Paris pour célébrer la démission du pape Benoît XVI («Crise de foi»).

Ici, on les a vues s'en prendre au crucifix à l'Assemblée nationale du Québec en octobre 2013, manifester contre le projet de loi antiterrorisme C-51 à la Chambre des communes en mars 2015 («C-51: terrorisme d'État») et un mois plus tard, au même endroit, protester contre le projet de loi 20 sur la tâche des médecins et l'accès à la procréation assistée («Mon utérus, ma priorité»).

Tant de gestes spectaculaires qui attirent forcément l'attention des médias, mais qui essuient du même coup des critiques, même au sein du mouvement féministe: en utilisant leur corps dénudé pour dénoncer l'objectification sexuelle des femmes, les activistes de Femen ne contribuent-elles pas finalement à nourrir ce réflexe d'objectification? Exhiber le corps féminin pour faire avancer la cause des femmes, ça marche? Ou le discours s'efface-t-il derrière l'action? Reste à voir de quelle manière ce jeune mouvement fera avancer la cause.

Ce que je trouve formidable dans les Femen, c'est leur subversion. C'est le fait qu'elles utilisent leur corps comme instrument politique et aussi comme outil de défense. Je trouve ça extraordinaire de voir des photos de femmes à poil, torse nu, sans aucune connotation sexuelle. C'est comme si leur corps servait de défense à des arguments politiques. Je trouve ça nouveau. Elles sont controversées comme l'est tout ce qui est féminin. C'est une revendication du corps d'une façon batailleuse. Puis une femme, c'est toujours beau, anyway !

- Brigitte Haentjens

Fesses

Plus de 300 000 interventions esthétiques sont réalisées chaque année au Canada. Environ le tiers sont de nature chirurgicale (augmentation mammaire, remodelage du nez...) et 85 % sont demandées par des femmes.

Sans être l'intervention la plus populaire, l'augmentation des fesses est une mode de plus en plus répandue chez nos voisins du sud et se propage rapidement jusque chez nous. Effet J.Lo? La faute à Kim Kardashian? En 2013, on a réalisé pas moins de 10 000 chirurgies des fesses en Amérique du Nord. Aux États-Unis seulement, la demande pour des implants fessiers a augmenté de 86 % entre 2013 et 2014.

On peut donner du galbe à des fesses trop plates, réduire des fesses trop larges, remonter des fesses tombantes ou raffermir des fesses trop molles. Moyennant environ 6 000 $ et une à quatre joyeuses semaines de convalescence (où on suggère carrément d'éviter de s'asseoir), on peut vous injecter dans les fesses le gras retiré d'une autre partie de votre corps. Du recyclage, quoi.

Si les fesses sont d'abord un amas de muscles voué à faciliter la position assise, elles sont également objet de convoitise. Ici, on a encore tendance à les dissimuler, mais elles sont davantage valorisées dans les pays du sud, où elles sont considérées comme un redoutable outil de séduction.

Les fesses sont partout. Dénudées dans les vidéoclips et dans la publicité, à peine camouflées sous des robes transparentes dans les remises de prix prestigieux, et engoncées dans des *teenie weenie* bikinis sur la plage (et au Beachclub de Pointe-Calumet, paraît-il). Le mot «twerk» a été ajouté au dictionnaire Oxford en 2013 et depuis que Miley Cyrus l'a fait sur la scène des MTV Video Music Awards, on se brasse allègrement le popotin en société.

Dans son essai *La guerre des fesses - Minceur, rondeurs et beauté*, le sociologue français Jean-Claude Kaufmann écrit qu'«il faut suivre les fesses de très près pour comprendre où va le monde». Semblerait d'ailleurs qu'en période de crise, on ait toujours eu tendance à glorifier les rondeurs en général et le fessier en particulier. Inversement, en période d'émancipation de la femme (dans les années 1920 ou les années 1970, par exemple), une silhouette filiforme – petits seins et fesses plates – est revendiquée. On se trouve présentement quelque part entre les deux, on veut à la fois les courbes généreuses et la taille de brindille. Un autre modèle à la portée de toutes, bref.

Vivement l'acceptation de la fesse dans tous ses états, comme la célébrait Yvon Deschamps sur son album *La sexualité* en 1972!

**Y en a des grosses, y en a des plates,
y en a des fermes, y en a des slaques
Les fesses! Les fesses! Les fesses! Les fesses!
Les fesses! Les fesses!
Y en a des rondes, des p'tites carrées,
Y en a pour s'asseoir, d'autres pour s'amuser
Les fesses! Les fesses! Les fesses! Les fesses!
Les fesses! Les fesses!**

(Yvon Deschamps, *Les fesses*)

Grosse
Point G
Garderie

Grosse

Les femmes penseraient à leur poids en moyenne 3 fois par jour et 5 % d'entre elles se trouveraient trop grosses. Pas étonnant, donc, que les magazines féminins nous relancent sans cesse leurs «conseils pour la saison du bikini», «trucs pour camoufler nos rondeurs» et autres «looks pour sublimer ses courbes». Il y a un marché pour ça – ou est-ce le marché qui a créé le malaise? Un cas classique de l'œuf ou la poule.

On le sait, l'idéal de beauté est un concept changeant. La relation de la femme à son poids à travers l'histoire se lit un peu comme une partie d'effeuillage de marguerites: dans la Grèce antique, elle a le corps athlétique; au Moyen-Âge, une taille de guêpe et de petits seins; à la Renaissance, on aime qu'elle ait les cuisses dodues, la poitrine généreuse et le ventre rond d'un modèle de Rubens; après la Révolution française, elle est bien en chair et met ses courbes en valeur à l'aide de faux-culs et de corsets qui remontent la poitrine; dans les Années folles, la minceur est synonyme de santé et le standard est à l'androgynie, ce qui se renverse après la Deuxième Guerre mondiale, avec l'idéal hollywoodien de la blonde pulpeuse et sensuelle à la Marilyn Monroe; au milieu des années 1990, on envie le corps filiforme d'une Kate Moss qui lance la mode du *heroin chic*. On sait tout ça, mais on continue à voir la beauté féminine comme une *check-list* immuable à laquelle on a intérêt à se plier si on veut trouver le bonheur.

Dans son essai *The Beauty Myth*, paru en 1991, la militante américaine Naomi Wolf avançait qu'avec l'augmentation de leur pouvoir social, on attend davantage des femmes qu'elles se conforment aux standards de beauté.

Depuis quelques années, bon nombre d'initiatives visant à remettre en question le modèle unique de beauté, ou à encourager la diversité corporelle dans les médias, ont vu le jour. Entre la Journée internationale sans diète (le 6 mai), les magazines qui mettent à leur une un mannequin «taille plus» une fois par année et la marque de savon Dove qui a fait de la diversité corporelle sa marque de commerce, il y en a pour tous les goûts (et pour apaiser toutes les consciences).

La question de l'image corporelle des femmes dans les médias, dans le milieu de la mode et dans la publicité préoccupe d'autant plus à l'heure où on a pris l'habitude de chasser le naturel à l'aide de Photoshop et des filtres Instagram. Au Québec, pour tenter de mettre un bâton dans la roue d'une machine déjà bien en marche, un groupe de jeunes a déposé des pétitions demandant au gouvernement d'agir. En mars 2009, le ministère de la Culture, des Communications et de la Condition féminine met en place un comité de travail chargé de rédiger ce qui deviendra la Charte québécoise pour une image corporelle saine et diversifiée. Une charte cumulant plus de 20 000 signatures, qui cible les industries de la mode, de la beauté, de la publicité et de la musique, et qui vise à promouvoir la diversité des images corporelles véhiculées ainsi qu'à décourager les comportements excessifs de contrôle du poids.

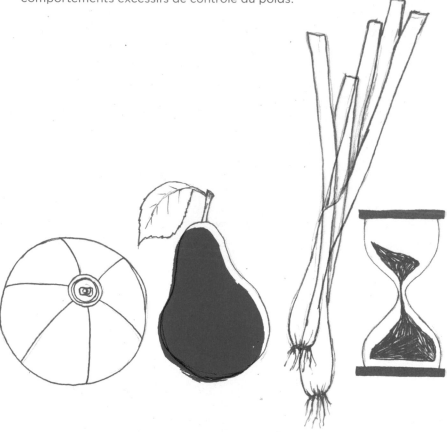

Le surpoids devient chez les femmes non seulement un enjeu esthétique, mais moral. De l'autre côté, il y a un espèce de discours complètement contradictoire qui consiste à promouvoir, dans les médias de masse, l'acceptation, l'estime de soi, avec une manière rose bonbon de dire « toutes les femmes sont belles ». Mais ce qu'on en comprend finalement, c'est que toutes les femmes sont belles et doivent s'accepter tant et aussi longtemps qu'elles sont dans un certain cadre, et si elles en débordent, c'est leur faute.

- Aurélie Lanctôt

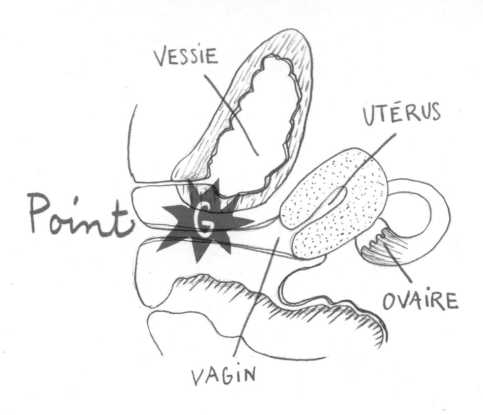

VESSIE

UTÉRUS

Point G

OVAIRE

VAGIN

On connaît vraiment bien le corps humain et on peut comprendre ses mécanismes dans le moindre détail. Grâce à des technologies de pointe comme la vidéomicroscopie, on peut voir l'intérieur de nos cellules ou le sang qui coule dans nos veines en haute définition. C'est merveilleux! Sauf qu'on ne s'entend toujours pas pour dire si le point G existe ou pas. En fait, voilà une soixantaine d'années qu'on le cherche.

Le mot «hypothétique» et les verbes au conditionnel reviennent fréquemment quand il est question du point G: une zone hypothétique du vagin qui, quand suffisamment stimulée, mènerait à l'orgasme. Taille de la zone? Discutable. Situation exacte? Incertaine. Est-ce un mythe? Est-ce une réalité pour toutes les femmes? Ou pour une poignée de chanceuses? À toutes ces questions, la science répond essentiellement «peut-être».

Le sexologue allemand Ernest Gräfenberg est le premier à l'étudier dans les années 1950. C'est lui, le «G» dans «point G». Il n'identifie toutefois pas une zone orgasmique précise qui serait commune à toutes les femmes.

En 1976, la sexologue et essayiste allemande Shere Hite publie son *Rapport Hite*, un livre vendu à près de 20 millions d'exemplaires dans lequel elle démontre, par une vaste analyse statistique, que la plupart des femmes parviennent à l'orgasme par la masturbation, mais pas par la pénétration.

En 1982, la sexologue américaine Beverly Whipple fait découvrir la notion de point G au commun des mortels en publiant son essai *The G-Spot and Other Discoveries About Human Sexuality*. Ses recherches suggèrent que toutes les femmes ont une certaine sensibilité dans cette région, même celles qui n'atteignent pas l'orgasme vaginal.

En 2004, un biologiste compte quatre points G dans la partie supérieure du vagin. En 2005, l'Australienne Helen O'Connell, docteure en urologie, affirme que le point G est lié aux parties internes du clitoris qui sont stimulées lors de la pénétration vaginale. En 2008, des chercheurs italiens concluent que le point G est en fait une affaire d'épaisseur du tissu de la paroi antérieure entre l'urètre et le vagin. Puis en 2010, des chercheurs britanniques annoncent que le point G n'est rien de plus qu'un mythe.

Tout ça pour dire qu'on cherche le point G un peu comme on cherche des traces de vie dans l'espace; on a vraiment envie d'y croire, mais au final, on peut s'en passer. C'est qu'il est étroitement lié à l'orgasme vaginal et que 92 % des femmes auraient plutôt besoin d'une stimulation clitoridienne pour atteindre l'orgasme.

Pour certains spécialistes (et plusieurs féministes), la notion de point G a fait plus de tort que de bien en entraînant de l'anxiété, de la culpabilité et de l'insatisfaction chez bien des femmes. La vision «phallocentrée» de la sexualité demeure: 83 % des femmes pratiquent fréquemment la pénétration vaginale même si cette méthode permet d'atteindre l'orgasme facilement chez seulement 28 % d'entre elles. Le corps est toujours un enjeu féministe, et faire du point G une norme ne devrait pas être l'objectif.

Garderie

En 2014, 27 % des familles canadiennes comptaient un seul soutien financier; dans 16 % des cas, la mère était au foyer et dans 2 % des cas, c'était le père. Les 9 % restant comptaient un parent chômeur, étudiant ou inapte au travail.

C'est au Québec qu'on compte aujourd'hui la plus faible proportion de familles avec un parent au foyer (13 %), alors qu'en 1976, elles formaient plus de la majorité (59 %).

Avec la conciliation travail-famille, la garde des enfants est devenue un enjeu collectif débattu jusqu'en campagne électorale. C'est plus de la moitié des parents canadiens dont les enfants ont quatre ans ou moins qui ont recours à un service de garde.

La garderie est un formidable outil d'émancipation pour les femmes, et aussi, souvent, une source de culpabilisation pour les mères, beaucoup plus que pour les pères. Comme si, à tort, on idéalisait une époque bénie où les mères restaient au foyer et où tout allait bien. Il y a cette culpabilité qui traduit en fait un message social qui est envoyé aux femmes, une pression… Malgré tous ses défauts, on peut dire que le système de garderie au Québec reste un investissement social qui en vaut la peine. Les ressources qui sont investies là dès la petite enfance permettent dans bien des cas d'éviter un fardeau plus lourd à l'État à long terme, et ça permet évidemment aux femmes de s'épanouir sur le marché du travail, d'être indépendantes. Ce n'est pas rien.

- Rima Elkouri

Il n'existe pas de programme national de garderies (bien que la création d'un programme universel de garderies à 15 $ par jour était l'une des promesses-clés du Nouveau Parti démocratique lors des élections fédérales de 2015), mais le Québec peut compter sur une politique familiale qui comprend un réseau de centres de la petite enfance (CPE) à 7 $ par jour (5 $ avant 2004). Cette politique, annoncée officiellement le 23 janvier 1997 par Pauline Marois, alors ministre de l'Éducation sous le gouvernement péquiste de Lucien Bouchard, a permis l'émancipation de milliers de Québécoises. Elle vise à favoriser une meilleure conciliation travail-famille en offrant davantage de services à la petite enfance, en prolongeant les congés parentaux et en instaurant la maternelle obligatoire à plein temps pour les enfants de cinq ans. À l'époque, Lucien Bouchard déclare que, malgré un contexte budgétaire difficile, le Québec est encore capable de faire preuve de créativité et de demeurer une société avant-gardiste qui fait le choix de ses enfants. Des propos qui font rêver près de 10 ans plus tard, alors que le gouvernement Couillard annonce la réforme du financement des centres de la petite enfance et des garderies privées subventionnées, qui entraînera des coupes de 120 millions de dollars en 2016.

Évidemment, la politique familiale québécoise n'est pas parfaite. Il y a environ 10 000 places en CPE à travers le Québec et les listes d'attente sont longues, si bien que plusieurs familles ne reçoivent l'appel tant attendu qu'une fois leur enfant prêt à entrer à la maternelle.

L'ouverture de garderies publiques était l'un des principaux enjeux féministes dans la seconde moitié du XXe siècle, avec l'équité salariale, le droit à des congés de maternité rémunérés et le droit à l'avortement. On peut au moins dire qu'on a fait un bout de chemin.

Homme

Hystérie

Honneur

Homme

L'homme est une femme comme les autres (ou presque)!

«Homme», ou plutôt, la place des hommes dans le discours féministe. Il y a ce fameux mythe à la couenne dure voulant que les féministes détestent les hommes. C'est absolument faux! Les féministes ne détestent pas les hommes, au contraire. Il y a une grosse marge entre le fait de critiquer un système dit patriarcal et le fait de haïr les individus qui sont le produit de ce système. Même si les hommes sont considérés comme privilégiés dans ce système patriarcal, ça n'est absolument pas une raison pour leur en vouloir, ni pour considérer qu'ils n'ont pas leur place dans le mouvement féministe. Les prises de conscience nécessaires pour lutter contre les rôles genrés passent aussi par la prise de conscience des hommes, et on a tout à gagner à travailler de pair, les deux sexes ensemble. Le féminisme, à mon avis, est une forme d'humanisme.

- Aurélie Lanctôt

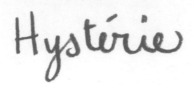

Hystérie

Quand on pense à «hystérie», l'image d'une foule en délire dans un spectacle de Justin Bieber (ou des Beatles, selon l'époque à laquelle on aime se référer) vient en tête, mais c'est surtout aux femmes qu'on pense. Aux femmes qui font du bruit, qui déplacent de l'air, qui se plaignent ou réclament, qui refusent d'obéir ou qui pleurent. Toutes des hystériques, ces femmes qui osent montrer leurs émotions. Au Moyen-Âge, on parlait de sorcières et on se tenait à distance. Aujourd'hui, on dirait *drama queens* en roulant les yeux vers le ciel. Peu importe le qualificatif choisi, ces femmes sont rarement prises au sérieux.

Le mot «hystérie» vient du grec ancien et signifie «utérus». Pour Hippocrate, père de la médecine, l'utérus se déplaçait dans le corps de la femme, entraînant divers troubles comme l'angoisse, l'insomnie, l'irritabilité, la perte d'appétit ou les fantasmes sexuels. Ainsi est née l'hystérie, une maladie typiquement féminine qu'on croyait pouvoir guérir par... le mariage et les rapports sexuels.

Au XIXe siècle, on commence à étudier scientifiquement l'hystérie. Le psychiatre Jean-Martin Charcot tente d'en trouver l'origine en fouillant du côté des lésions des nerfs, puis Freud, qui fut son étudiant, cherche du côté de l'inconscient, concluant que l'hystérie ne peut être que d'origine psychique. C'est pour traiter l'hystérie que Freud invente la psychanalyse. Constat : les crises d'hystérie sont une forme de «langage corporel» qui exprime des conflits refoulés.

On démontrera éventuellement l'existence d'hystérie chez les hommes, mais c'est un trouble qui restera associé au genre féminin.

Avec l'arrivée de l'électricité au XXe siècle, on traite l'hystérie avec le vibromasseur. L'industrie pharmaceutique s'en mêle et diffuse des publicités s'adressant aux célibataires excitables, aux ménagères épuisées et aux ménopausées instables en leur proposant un large éventail de pilules censées les aider à mieux supporter la pression quotidienne, le stress et la déprime.

Parce qu'elles sont considérées comme instables et émotives, on a longtemps diagnostiqué toutes sortes de maladies mentales aux femmes. La toute première lobotomie de l'histoire a d'ailleurs été réalisée en 1936 sur une femme au foyer du Kansas, à qui on avait diagnostiqué une maladie mentale causée par une surcharge émotionnelle, pour laquelle on jugeait qu'il fallait couper certains nerfs du lobe frontal.

En 2013, le trouble dysphorique prémenstruel, une forme sévère de syndrome prémenstruel se manifestant par de l'irritabilité et de l'anxiété avant le début des règles, intégrait le DSM-IV. Un trouble qu'on propose de soulager par la prise d'antidépresseurs. On ne traite peut-être plus les femmes pour hystérie à proprement dit, mais on continue de chercher (et de trouver) des manières de réguler le corps et l'esprit des femmes.

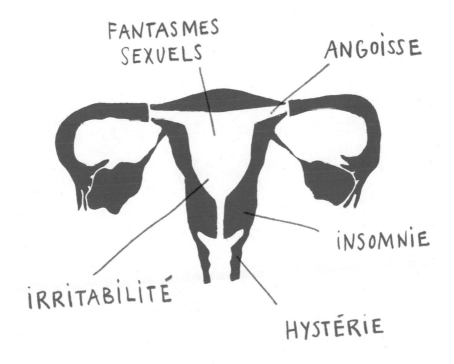

FANTASMES SEXUELS

ANGOISSE

INSOMNIE

IRRITABILITÉ

HYSTÉRIE

« Hystérie » est un mot important parce qu'il a servi à contrôler les débordements des femmes. En fait, l'hystérie est un diagnostic un peu fourre-tout qui maintenant n'existe plus, mais l'idée est restée : tout de suite, on va accuser les femmes d'être hystériques dès qu'elles s'indignent. Une femme doit être régulée, réglée. Il faut donc contrôler l'utérus pour régler la femme. L'hystérie a été un des diagnostics utilisés pour enfermer les femmes : des filles désobéissantes ou un peu trop frivoles, des prostituées, des veuves qui souffraient de solitude… Tous les prétextes étaient bons pour enfermer les femmes. Alors qu'on va parler d'artistes maudits quand il s'agit des hommes, on va parler d'hystériques pour désigner les artistes femmes.

- *Martine Delvaux*

Honneur

«Honneur» comme dans «crimes d'honneur», une catégorie à part de violence faite aux femmes, des actes qui glacent le sang quand on sait qu'ils sont prémédités, planifiés et perpétrés par les proches de la victime, qui ne seront pas stigmatisés dans la famille ou la communauté suite à leur crime.

Les crimes d'honneur sont un phénomène connu depuis la Rome antique, où l'homme le plus âgé de la famille avait le droit de tuer une femme adultère, ou même sa propre fille qui avait des relations sexuelles hors mariage, quand le but était de défendre la chasteté de celle-ci ou de préserver la réputation d'un autre membre de la famille.

Aujourd'hui, on estime que 5 000 femmes et filles sont assassinées annuellement dans le monde pour avoir déshonoré leur famille, sans avoir pu se défendre au préalable.

Parmi les comportements jugés déshonorants, on compte les relations sexuelles avant le mariage ou hors du mariage, le refus de se plier aux codes de la famille (refus de porter le hidjab ou fréquentation d'un garçon que la famille désapprouve), ou même le fait d'avoir été violée.

Pour Amnistie internationale, les crimes d'honneur sont une pratique consacrée moins par la religion que par la culture. Ils se produisent surtout dans certaines communautés où les hommes ont le devoir de contrôler les femmes socialement et sexuellement, notamment au Pakistan, en Inde et en Afghanistan, mais pas exclusivement. Au Canada, on documente quelque 17 cas de crimes d'honneur commis – et dénoncés – depuis 1991. Des crimes qui ont fait un total de 26 victimes, dont seulement 5 ont survécu.

En juin 2009, on a été bouleversé par l'histoire de la famille Shafia, originaire d'Afghanistan et installée dans la région de Montréal depuis 2007. Les sœurs Zainab (19 ans), Sahar (17 ans) et Geeti Shafia (13 ans) ainsi que leur belle-mère, Rona Amir Mohammad, sont trouvées mortes

On reste dans le contrôle, dans le besoin d'exercer un pouvoir sur la sexualité de la femme, mais poussé à l'extrême. C'est une réalité horrible dont il faut parler et qu'il faut dénoncer. Selon l'ONU, les crimes d'honneur sont en croissance dans le monde. On dit «crime d'honneur», mais le mot «honneur» est perverti, je le mets entre guillemets, parce qu'il n'y a évidemment rien d'honorable dans ces crimes-là.

- Rima Elkouri

dans une voiture jetée dans le canal Rideau, près de Kingston. Trois membres de la famille sont arrêtés et accusés de meurtre au premier degré et de complot en vue de commettre un meurtre: le père des filles Shafia, leur mère (deuxième épouse du père) et leur frère aîné. On a dit que les jeunes filles s'habillaient à l'occidentale, qu'elles fréquentaient des garçons que la famille n'approuvait pas, qu'elles mettaient leur père en colère. Elles déshonoraient la famille.

On a su que l'école que fréquentaient les filles Shafia avait alerté la Direction de la protection de la jeunesse (DPJ) à deux reprises, que Zainab elle-même s'était enfuie dans un refuge pour femmes deux mois avant de trouver la mort, que la police avait été alertée. Des plaintes reçues, des dossiers ouverts, et quatre morts de trop. La DPJ de Montréal a pris acte de cette affaire, déclarant qu'on s'intéresserait davantage aux différences culturelles dans le traitement des dossiers pour mieux cerner les risques, maintenant qu'on sait que ces crimes existent et qu'ils existent aussi chez nous.

Inégalités

Indépendance

Intersectionnalité

Inégalités

En 1919, les Canadiennes obtiennent le droit de se porter candidates aux élections fédérales. En 2014, elles occupent seulement 25 % des sièges à la Chambre des communes, plaçant le Canada au 46e rang du classement mondial derrière le Rwanda (1er), l'Afrique du Sud (8e) et l'Irak (43e). Avec l'élection du parti libéral de Justin Trudeau le 19 octobre 2016, le cabinet ministériel canadien devient paritaire pour la première fois de notre histoire. Pourquoi avoir nommé 15 hommes et 15 femmes ministres? «Parce qu'on est en 2015». Pourtant, même en 2016, les inégalités systémiques entre les hommes et les femmes perdurent.

Les femmes ont rattrapé les hommes en matière de scolarité, elles sont de plus en plus nombreuses sur le marché du travail, mais elles s'absentent plus que les hommes pour des obligations familiales, elles choisissent plus souvent le travail à temps partiel pour mieux concilier travail et famille et elles occupent plus souvent des emplois précaires.

La proportion de femmes dans les ordres professionnels progresse, mais le tiers des emplois occupés par des femmes est toujours concentré dans ce qu'on qualifie de «professions féminines», soit des emplois liés aux soins des personnes et à l'éducation (éducatrice, enseignante, infirmière) ou faisant appel à des qualités dites féminines comme la minutie et l'écoute (secrétaire, réceptionniste, caissière).

Elles contribuent de plus en plus au revenu du couple, mais les femmes composent encore 60 % de la main-d'œuvre employée au salaire minimum, une proportion qui n'a pas bougé depuis 1999, et elles sont plus dépendantes des prestations gouvernementales que les hommes.

Les victimes de violence conjugale déclarée sont plus souvent des femmes que des hommes. Elles sont aussi plus souvent la cible d'agressions sexuelles. De manière générale, la violence pousse 100 000 femmes et enfants à quitter leur domicile pour rejoindre un refuge chaque année au Canada. Cette violence inquiète, et pour la contrer, on recommande la prudence: une femme ne devrait pas prendre un taxi, seule, en état d'ébriété, ni boire jusqu'à l'ivresse dans un lieu public, ni porter des vêtements révélateurs, ni accepter une consommation de la part d'un étranger, ni traverser un stationnement à pied la nuit... La femme qui souhaite éviter d'être agressée ou attaquée doit surveiller son propre comportement et anticiper celui des autres, chose que l'on ne demande pas à l'homme.

Les inégalités entre les sexes se perpétuent jusqu'à la maison, où les Canadiennes consacrent en moyenne 35 heures par semaine aux tâches ménagères non rémunérées, contre 20 heures pour ces messieurs. La parité au parlement ET dans la salle de lavage?[10] Ce serait le rêve!

[10] Voir L: Laveuse

On aimerait croire que tout est réglé, mais il reste des inégalités. Malgré les avancées, même si on a l'impression que tout le Québec est devenu féministe, les femmes sont encore sous-représentées dans les milieux de pouvoir, sous-représentées dans les médias. La conciliation travail-famille reste encore trop souvent un fardeau féminin… J'aimerais bien croire que la charte du PQ, par exemple, puisse faire du Québec un paradis égalitaire, mais je reste un peu sceptique.

- Rima Elkouri

Indépendance

Avec l'entrée en vigueur du Code civil du Bas-Canada le 1er août 1866, la femme est considérée comme une personne mineure, soumise à son mari en échange de sa protection. La femme est responsable des dettes de son mari, mais pas le contraire. Le mari est seul responsable des biens familiaux. Il faudra attendre jusqu'en 1930 pour qu'une modification au Code civil vienne octroyer à la femme la libre gestion de son salaire et des biens acquis grâce à celui-ci.

Cent ans plus tard, en 1964, des modifications majeures sont apportées au Code civil avec la Loi sur la capacité juridique de la femme mariée. On met alors en place de nouvelles dispositions visant à établir l'égalité des époux dans la direction de la famille et on abolit le devoir d'obéissance de la femme à son mari. En 1969, le divorce est légalisé.

Ainsi se construit l'indépendance de la femme, à coups de lois et d'amendements divers.

Simone de Beauvoir déplorait le confinement des femmes de son époque à leurs fonctions biologiques. Elle parlait du «deuxième sexe», inférieur parce que dépendant financièrement de l'homme, parce que coincé dans la rigidité de rôles prédéterminés: la mère, la femme au foyer, la femme au service de son homme. Elle militera toute sa vie pour que les femmes se donnent le droit de choisir, de décider du chemin à emprunter.

Les familles comptant un parent au foyer représentent aujourd'hui moins du cinquième des familles canadiennes, alors qu'elles représentaient plus de la moitié en 1976. Le pourcentage de femmes actives sur le marché du travail dépasse 60 %. De plus en plus de femmes accèdent à l'autonomie financière. Mais tout n'est pas gagné. Les droits des conjointes de fait, par exemple, restent un champ de bataille à conquérir. Aujourd'hui, 63 % des enfants naissent de couples non mariés et le Québec est la seule province canadienne qui ne prévoit pas le versement d'une pension alimentaire aux conjoints de fait en cas de rupture. C'est donc dire que les femmes non mariées qui font le choix de rester à la maison pour s'occuper des enfants ne sont pas protégées, qu'elles n'ont tout simplement pas droit à leur part du patrimoine familial si leur couple éclate.

Les études récentes le disent: la femme est désavantagée après une rupture. Quarante-trois pour cent des femmes voient le revenu de leur ménage baisser substantiellement suite à une rupture, contre seulement 15 % des hommes.

Oui, la femme peut choisir. Avoir des enfants ou ne pas en avoir. Quand en avoir et combien. Se marier ou vivre en union de fait. Rester à la maison ou travailler. L'indépendance de la femme passe par sa liberté de se construire une vie sur mesure, et non comme un meuble Ikea qui viendrait avec la marche à suivre. Mais cette liberté de choisir a un prix, et ce sont les femmes elles-mêmes qui en font généralement les frais.

Les femmes se sont battues pour leur indépendance économique, leur indépendance de pensée, leur indépendance sexuelle, leur liberté. Ce qu'on voit aujourd'hui sur la place publique, c'est le prix qu'on paye pour cette indépendance économique. On nous dit qu'il faut aller sur le marché du travail et, en même temps, que les femmes qui le veulent devraient et doivent avoir des enfants et les élever, avoir une vie de famille…

Quelqu'un comme Anne-Marie Slaughter, qui a publié dans The Atlantic «Women Still Can't Have it All», un article qui a fait couler beaucoup d'encre, accusait en quelque sorte le mouvement féministe de nous avoir leurré, c'est-à-dire de nous avoir fait miroiter un rêve qui est inatteignable. En vis-à-vis, on retrouve Sheryl Sandberg, la COO de Facebook, qui a publié *Lean In* où elle dit qu'on peut tout avoir. Je pense qu'elle n'a pas tort. Si j'ai à choisir entre les deux, je vais plutôt aller du côté de Sandberg. «Lean in» ça veut dire penchez-vous vers l'avant, écoutez les conversations, prenez votre place, levez la main, posez des questions, intéressez-vous, occupez le terrain.

- Martine Delvaux

Intersectionnalité

Théorie élaborée au début des années 1990 par la juriste féministe américaine Kimberlé Crenshaw à partir d'une idée provenant du *Black feminism* américain, l'intersectionnalité amène à réfléchir à la simultanéité des oppressions.

Outil de réflexion d'abord juridique, mais devenu sociologique, l'intersectionnalité est la prise en compte du croisement des rapports de domination pour révéler la spécificité de situations discriminatoires souvent ignorées.

À la discrimination sexuelle peut s'ajouter la discrimination raciale, la discrimination fondée sur l'orientation sexuelle, la religion ou la classe, par exemple. Ce sont ces recoupements que mesure l'approche féministe intersectionnelle. Une nouvelle génération de féministes demande maintenant que l'on s'ouvre à la diversité, que le mouvement des femmes s'éloigne de l'ethnocentrisme qui l'a longtemps caractérisé et qu'il considère les difficultés rencontrées par les femmes minorisées. C'est-à-dire qu'à la problématique de l'égalité homme-femme au cœur du féminisme qu'on pourrait appeler *mainstream*, doit s'ajouter la question de l'égalité entre les femmes aux profils diversifiés. On peut notamment penser aux femmes voilées, qui peuvent souffrir à la fois de sexisme et d'islamophobie, ou aux femmes trans, exposées aux préjugés sexistes et à la transphobie. La lutte pour la parité dans les conseils d'administration ou au conseil des ministres est importante, certes, mais pour bon nombre de femmes – celles qui vivent de l'aide sociale, qui souffrent d'un handicap ou qui sont issues de minorités visibles, notamment –, d'autres combats sont plus pressants et les luttes d'un certain féminisme blanc tiennent d'un féminisme de privilège qui a assez peu à voir avec elles. Les débats visant à remettre en question tous les privilèges doivent pouvoir exister au sein du mouvement féministe.

Chez nous, les femmes autochtones ont souvent tenté de faire reconnaître la discrimination intersectionnelle qui les touche: elle provient à la fois du genre et de la culture. Le désavantage est double; elles ont donc des revendications autochtones et des revendications féministes. L'approche intersectionnelle permet de mesurer toute la complexité de leur situation plutôt que d'en analyser tous les éléments séparément. Les études féministes d'aujourd'hui ne peuvent se pencher uniquement que sur le genre. Elles ont le devoir de contester l'homogénéité de l'identité féminine et de considérer la multiplicité des expériences.

Certains critiquent la théorie intersectionnelle, craignant que l'attention portée aux problèmes des minorités au sein du mouvement en vienne à réduire l'impact du mouvement en tant que tel. Mais si l'outil n'est pas parfait, il n'en est pas moins précieux pour l'atteinte d'une société plus juste et égalitaire.

Janette Bertrand

Jupe-culotte

Jouissance

Janette Bertrand

Quand on cumule plus de 65 ans de carrière, qu'on a piloté une vingtaine d'émissions de radio et de télévision, qu'on a signé des centaines de textes dramatiques et journalistiques ainsi que quelques romans, qu'on a joué au cinéma, qu'on a enseigné et élevé des enfants, on peut dire qu'on mérite le titre de «Femme du siècle». En plus de celui d'Officier de l'ordre national du Québec et de l'ordre du Canada, entre autres honneurs.

Janette Bertrand est tout ça. Une femme infatigable qui a confronté tous les tabous et a fait évoluer les mentalités, accompagnant le Québec dans sa marche vers la modernité. La petite fille née dans le quartier Centre-Sud à Montréal en mars 1925 est devenue un monument du monde de la radio et de la télévision au Québec et un modèle pour toutes les communicatrices qui l'ont suivie.

Après des études en lettres à l'Université de Montréal, elle devient journaliste en 1950. Elle tient d'abord la chronique «Opinions de femmes» au *Petit Journal*, puis répond pendant 16 ans au courrier du cœur dans le même hebdomadaire. Au cours des années 1960, alors que le Québec est marqué par une vague d'émancipation – les femmes mariées sont libérées de la tutelle de leur mari et l'emprise cléricale se relâche –, elle aborde sans détour des questions délicates pour l'époque, comme la violence, la sexualité, la contraception ou le divorce. D'une plume simple, assurée et pleine de bon sens, elle continue à fouiller et à mettre de l'avant ces questions dans chacun de ses projets subséquents.

Véritable pionnière, elle est l'une des rares Québécoises à faire carrière dans les médias dans les années 1950 et 1960. Bien avant l'avènement de la téléréalité, elle laisse entrer les milliers d'auditeurs de la radio CKAC dans l'intimité de sa salle à manger – et de sa vie familiale – avec l'émission *Mon mari et nous*. Son talent d'auteure est consacré par le téléroman *Quelle famille!* qui tient l'antenne pendant cinq ans à Radio-Canada et dans lequel elle incarne le rôle d'une mère de famille progressiste à l'écoute de ses enfants.

En 1984, elle lance à Radio-Québec la populaire série *Parler pour parler*: autour d'un repas, elle reçoit chaque semaine des invités avec qui elle discute de divers sujets de société. Suivra la dramatique *L'amour avec un grand A* de 1986 à 1996. Pendant 10 ans, tout y passe: divorce, suicide, homosexualité, violence conjugale, sida, harcèlement sexuel au travail, viol, anorexie, inceste, vieillesse, mères porteuses... Elle est l'une des premières au Québec à aborder plusieurs de ces thèmes controversés. À travers le petit écran, elle est une éducatrice populaire et mène un combat contre toutes les formes d'intolérance, particulièrement celles dirigées contre les femmes. Elle sonde l'intimité de ses contemporains avec audace et compassion.

À l'automne 2013, le Parti québécois de Pauline Marois présente son projet de charte des valeurs québécoises, qui vise à affirmer la neutralité religieuse de l'État en prohibant notamment le port de signes religieux ostentatoires par le personnel du secteur public. Ce sont surtout les femmes qui portent le voile qui sont visées par cette mesure.

Dans une lettre cosignée par une vingtaine de femmes surnommées «les Janettes», Janette Bertrand se prononce en faveur de l'adoption de cette charte, disant craindre que la montée de l'intégrisme ne vienne menacer l'égalité homme-femme. En réponse à cette lettre, un autre groupe de femmes, «les Inclusives», dit regretter que l'on stigmatise l'ensemble des femmes qui choisissent de porter le voile, qu'on les tienne à l'écart de la fonction publique. On reproche alors à Janette Bertrand de se faire l'écho de préjugés non fondés, elle qui a pourtant passé sa vie à les combattre.

J'ai un immense respect pour Janette
Bertrand – comme toutes les femmes,
je pense. Juste le fait d'avoir été une
personnalité publique dans ces années-là,
ça en fait une personnalité féministe forte.
C'est difficile pour nous aujourd'hui de
concevoir qu'une grande féministe se soit
démarquée par son courrier du cœur ou
sa recette de jambon au foin, mais il faut
remettre les choses dans leur contexte.
Par contre, et je pense que je peux
parler au nom de plusieurs féministes
de ma génération, il y a eu une certaine
déception à l'automne [2013]
quand Janette Bertrand a lancé
son manifeste [des Janettes].

Évidemment, quand une grande femme comme elle prend position dans un débat important comme celui de la Charte des valeurs, on l'écoute. C'était un court manifeste de quelques lignes, et j'ai été déçue, disons, du peu de réflexion que j'ai ressenti dans cette prise de position. J'ai l'impression qu'on avait affaire à une sorte de féminisme de privilège qu'on n'a jamais remis en question ; on ne s'est jamais demandé en fait ce que ces femmes, qui seraient victimes des effets de cette charte, vivraient concrètement. Il faudrait intégrer l'intersectionnalité dans la réflexion féministe.

- Judith Lussier

Jupe-culotte

Le chemin vers l'émancipation de la femme est pavé de grands et moins grands changements de mentalités et de mœurs. Tantôt, on accepte de la laisser prendre des décisions sur la place publique ou on lui reconnaît un statut légal égal à l'homme, tantôt on lui permet de s'habiller comme elle veut pour sortir de chez elle. Il n'y a pas de petites victoires, comme on dit.

À travers l'évolution de la mode, c'est tout un pan de l'histoire des femmes qu'on peut observer. Et il n'y a pas de vêtement plus révélateur que la jupe.

Malgré le kilt, et même l'occasionnel modèle masculin dans un défilé de haute couture, la jupe est foncièrement rattachée à la féminité. Qu'elle cache ou qu'elle dévoile, elle symbolise aussi bien la soumission à l'ordre masculin que la libération de la femme.

La volonté de différencier les sexes par l'habillement n'est pas nouvelle. Dès l'arrivée du christianisme, on associe certains vêtements selon les tâches propres à chaque genre. Si la jupe était portée à la fois par les hommes et les femmes au XIe siècle, ça fait des lustres que ce n'est plus le cas. Même chose avec le pantalon, qu'il était rare de voir des femmes porter en Occident avant les années 1950. (En fait, une loi interdisant aux Parisiennes de porter le pantalon à moins d'être à cheval ou à vélo a seulement été abrogée en 2013... Une vieille loi qu'on avait oubliée, qui visait évidemment à limiter l'accès des femmes à certains métiers où elles auraient eu à s'habiller comme des hommes.)

Longtemps, les hommes portent les vêtements pratiques alors que la mode féminine restreint les mouvements. Le pantalon symbolise le pouvoir, et la jupe, quelque chose comme l'accessibilité au sexe féminin. Il faudra attendre la Belle époque (et l'incendie du Bazar de la Charité à Paris en 1897, où 110 victimes sur 116 étaient des femmes vêtues de longues robes freinant la fuite) pour qu'on commence à se questionner sur la nature contraignante des corsets, souliers à talons et autres jupes frôlant le sol.

C'est dans ce contexte qu'est apparue en 1890 la jupe-culotte, soit un pantalon intégré à une jupe longue et bouffante, pour permettre aux femmes de faire de la bicyclette. La jupe-culotte, c'est un pied de nez au symbole de soumission à l'ordre masculin qu'est la jupe.

La jupe parle, et elle dit que, depuis le XXe siècle, la mode – avec tout ce qu'elle comporte de codes et d'artifices – est au moins un peu féministe (quand elle n'est pas carrément le contraire) : Coco Chanel jouant avec les codes masculins/féminins et créant le pantalon pour femmes, Yves Saint-Laurent et ses tailleurs pantalons, la mini-jupe... Il faut se souvenir que c'est en se dotant d'options, et en se donnant le droit de choisir leur habillement, que les femmes ont réussi à s'émanciper dans les années 1960.

Je me rappelle que, quand j'avais 8 ou 9 ans, j'ai insisté très fort pour avoir une jupe-culotte ! Ça m'a portée à réfléchir au phénomène de la mode, à ces modes qui apparaissent et que tout le monde, même moi à 8 ans, veut suivre. Avant d'apparaître en Europe, il existe quelque chose qui ressemble à la jupe-culotte dans les cultures asiatiques, indiennes ou arabes : le sarouel. C'est comme un pantalon bouffant qui ressemble vraiment à une jupe. C'est quelque chose d'éthique. C'est un vêtement que je trouve très égalitaire et très avant-gardiste pour certaines sociétés qui sont devenues, par la suite, assez misogynes.

- Monia Mazigh

Jouissance

À la base, quand le terme apparaît au XVᵉ siècle, «jouir» signifie posséder un bien et avoir tout le loisir d'en faire ce qu'on veut. Au siècle suivant, le mot «jouissance» adopte une nouvelle définition tout hédoniste, associée au plaisir et à la joie. On se fait plaisir, on jouit d'une bouteille de vin de qualité entre amis, on jouit d'une bonne bouffe moléculaire dans un resto étoilé du Guide Michelin, on jouit de la lecture d'un bon roman, bien calé dans un superbe fauteuil Eames.

On peut certainement jouir de la vie, mais ce qu'on veut, surtout, c'est jouir au lit!

Ah! La mystérieuse jouissance féminine! La complexité du corps féminin! La dernière frontière! «Si au moins madame venait avec un mode d'emploi», soupirent ces messieurs en feuilletant le dernier numéro du magazine *Cosmopolitan*, en patientant en file à la pharmacie.

Soixante-dix-sept pour cent des femmes ne connaissent pas l'orgasme avant l'âge de 25 ans et 15 % des femmes n'en auront jamais. Seulement le tiers des femmes dit connaître l'orgasme régulièrement pendant les relations sexuelles. La jouissance de la femme se vit plus souvent en solo.

Pour l'atteindre, cette fameuse jouissance, on donne à la femme des instructions aux contours vagues. Il faut connaître son corps, lâcher prise, avoir une bonne estime de soi, avoir pleinement confiance en son partenaire, accepter le plaisir sans honte, vivre pleinement ses fantasmes... Et il faut faire tout ça sans y penser, sans retenue aucune. Beau programme. (Bonne chance à toutes!)

On parle de jouissance, on parle de jouir, et on pense à quoi? On pense au sexe. Les jouissances de l'amour. Mais quand on pense à l'excision, une ablation rituelle du clitoris et même des petites lèvres, on réalise qu'il y a beaucoup de femmes qui n'ont aucune jouissance.

- Hada Lopez

C'est sans compter les 2 à 3 millions de filles et de jeunes femmes qui subissent des mutilations sexuelles chaque année dans le monde. Excisions, clitoridectomies et infibulations sont autant d'interventions qui mutilent les organes génitaux des femmes, sans aucun avantage pour la santé, les privant ainsi de leur capacité à ressentir du plaisir, bref, à jouir. Des interventions motivées par le contrôle du comportement sexuel de la femme, mais qu'on fait souvent passer (à tort) pour des pratiques trouvant leur fondement dans la religion.

Quand on parle de sexe, on ne dit pas assez que l'orgasme n'est pas une fin en soi. Pas d'orgasme, pas de plaisir? Pas vrai. Pourtant, une femme sur deux avoue avoir déjà simulé l'orgasme – pour encourager son partenaire ou préserver son ego, pour ménager l'équilibre fragile de son couple, pour accroître le plaisir ou pour en finir. L'obsession de la performance a fait son chemin jusque sous les draps, mais il est possible de s'épanouir sexuellement sans courir après la jouissance.

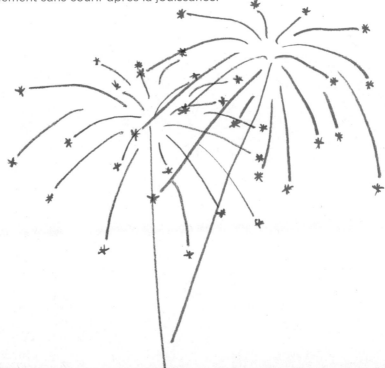

Kamikaze

Kateri Tekakwitha

Khôl

Kamikaze

Tel le kamikaze qui se sacrifie pour sa cause, la femme qui prend la parole sur le web se met en danger. C'est que la misogynie s'inscrit dans son époque et devient 2.0. Après la rue, les transports en commun et les bars, le web est un nouveau territoire où apostropher les femmes à coups d'insultes virulentes en message privé sur Facebook, de commentaires sexuellement explicites sur Instagram ou de vertes invitations à se « fermer la gueule » ou à aller se faire « mieux baiser » sur les blogues. Internet est un merveilleux lieu d'échange, un vaste terrain de jeu, mais un terrain particulièrement miné pour les féministes affichées. Remarques dégradantes, injures, menaces de viol – quand ce ne sont pas carrément des menaces de mort –, elles s'exposent à la hargne anonyme de commentateurs qui voudraient bien qu'elles retournent à leurs fourneaux et surtout, qu'elles se taisent.

La majorité des victimes de cyberintimidation sont des femmes ; un rapport des Nations Unies dévoilé en 2015 constate d'ailleurs que 73 % des femmes dans le monde ont déjà été victimes de violences sur Internet. En 2006, une étude américaine démontrait que, sur les forums de discussion, les pseudonymes féminins recevaient 25 fois plus de messages tendancieux ou sexuellement explicites que les pseudonymes masculins. Sexisme et anonymat forment un combo explosif ; confortablement installé derrière un clavier, on peut facilement se déresponsabiliser, se dire qu'Internet, ce n'est pas la vraie vie. Et anonymat ou pas, le harcèlement se transpose jusque dans les pages où l'on se montre normalement sous son meilleur jour : les sites de rencontre. C'est 42 % des femmes qui s'inscrivent sur ce type de sites qui disent recevoir des messages désagréables ou menaçants.

Le Code criminel canadien interdit formellement le harcèlement, mais tarde à définir les limites de ce qui constitue du harcèlement en ligne. En janvier 2016, dans ce qui est probablement le premier procès pour harcèlement criminel sur Twitter au pays, la Cour donne raison à l'accusé. L'affaire remonte à 2012 : deux militantes féministes, Stephanie Guthrie et Heather Reilly, accusent un artiste torontois, Gregory Alan Elliott, de harcèlement suite à une série d'insultes de plus en plus grossières et de plus en plus personnelles sur Twitter. Le nombre de messages et leur contenu ne laissent pas de doute: elles ont bel et bien été harcelées. Toutefois, le juge conclut que la preuve n'atteint pas le seuil juridique pour une condamnation. Un point pour les défenseurs de la liberté d'expression à tout prix, zéro pour les femmes fatiguées de recevoir des injures liées à leur genre et des *dick pics* non sollicitées.

Entre les sites de *revenge porn* où des amoureux éconduits se vengent en lâchant dans l'univers virtuel des photos de leur ex nue et ses données personnelles, les instances de *mansplaining* où les hommes expliquent avec condescendance aux femmes qu'elles se trompent sur les sujets qui les concernent, elles, et tous les préjugés rassemblés sous des mots-clic comme #HowToSpotAFeminist (comment identifier une féministe? «Grosse, laide et intransigeante», «Au bord de la route, sous la pluie, incapable de changer un pneu et refusant l'aide des hommes.», «Celle qui se fâche quand un homme qui n'a pas commis de crime est déclaré innocent», «Elle crache ses opinions et accuse de misogynie ceux qui ne les partagent pas», etc.), une bonne carapace est de mise. Les menaces proférées sur le web ne sont pas encore prises avec tout le sérieux qu'elles mériteraient.

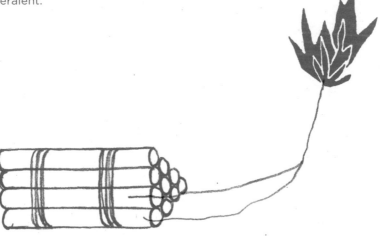

Ce qui fait de nous des kamikazes, c'est qu'on est victimes, nous les femmes, de vachement plus de harcèlement que les hommes. Pas juste les blogueuses, mais toutes les filles, et ça fait en sorte que c'est plus difficile pour nous de nous exprimer sur les réseaux sociaux, sur Internet. Ça décourage les filles d'avoir des carrières dans l'écriture et dans tout ce qui se passe en ligne.

- Judith Lussier

Kateri Tekakwitha

C'est le 21 octobre 2012 à Rome que le Vatican canonise la première autochtone nord-américaine, dans un geste visant certainement à réparer la relation meurtrie qui perdure entre l'Église catholique et les peuples autochtones.

Kateri Tekakwitha, surnommée le Lys des Mohawks, a vécu de 1656 à 1680. Fille d'un chef mohawk traditionaliste et d'une mère algonquine chrétienne, elle grandit dans le village d'Auriseville, dans l'État de New York. Suite à une épidémie de vérole, elle se retrouve orpheline et presque aveugle. C'est à cette époque qu'on la nomme Tekakwitha, «celle qui avance en tâtonnant», parce que la lumière du jour lui est insupportable.

En 1666, elle quitte son village natal avec les membres de sa tribu pour s'installer à Kahnawake. C'est là, en Nouvelle-France, qu'elle fait la rencontre de missionnaires jésuites et que, frappée par leur piété, elle se convertit au catholicisme. Après plus d'une année à subir les persécutions de ses proches qui se moquent de sa foi, elle part vivre à la mission Saint-François-Xavier, près de Montréal. Elle passe des heures à prier, s'occupe des malades, assiste à la messe et enseigne la prière aux enfants. Sa foi et sa sainteté ne font pas de doute.

Elle meurt de la tuberculose à l'âge de 24 ans. Depuis son décès, on croit que plusieurs miracles – surtout des guérisons – se sont produits par son entremise, si bien qu'elle est déclarée vénérable en 1943 par le pape Pie XII et béatifiée en 1980 par le pape Jean-Paul II. Si elle est finalement canonisée, c'est grâce à la guérison, en 2006, d'un petit garçon américain qui aurait survécu à la bactérie mangeuse de chair après qu'une relique de Kateri Tekakwitha eut été posée sur sa poitrine. Le miracle qui lui manquait.

Trois cent trente-deux ans après sa mort, Kateri Tekakwitha fait maintenant partie du groupe très sélect des saints canadiens duquel sont aussi le saint frère André, les religieuses Marguerite d'Youville[11] et Marguerite Bourgeoys, les huit saints martyrs canadiens, Mgr François de Laval et Mère Marie de l'Incarnation.

Lors de la cérémonie qui a sacré Kateri Tekakwitha « protectrice du Canada », le pape Benoît XVI a lancé un « Que Dieu bénisse les Premières Nations » bien senti. Un pas de plus vers la réconciliation? Pas nécessairement. En 2008, le gouvernement canadien a offert des excuses aux anciens élèves des pensionnats amérindiens, mais l'Église tarde encore à faire de même. Pour certains autochtones plus traditionalistes, cette canonisation n'est rien de plus qu'un geste stratégique. Trop peu trop tard.

---

[11] Voir Y : d'Youville

Elle est une sainte rebelle. Elle est devenue sainte parce qu'elle s'est opposée à l'ordre établi. On attendait d'elle qu'elle se marie. On a essayé à maintes reprises de la marier à l'intérieur de sa communauté mohawk, une communauté où sa mère avait été faite prisonnière. Elle s'est opposée à ce mariage et elle a provoqué la colère autour d'elle. À cause de ça, elle a subi des menaces de mort, du harcèlement et a dû fuir sa communauté. Maintenant on la connaît comme sainte, mais au départ, c'est une femme qui s'est révoltée face à l'ordre établi.

- Hada Lopez

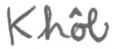

Khôl

Tous les coachs et gourous de la drague le disent, le regard est le premier geste de séduction. On fait de l'œil avant de faire la cour. En fouillant bien, on peut toujours dénicher un sondage qui nous dira que les hommes regardent les yeux d'une femme avant sa poitrine. Parce que les yeux sont le miroir de l'âme, c'est bien connu.

Dans l'*Art d'aimer*, paru autour de l'an 1, le poète latin Ovide écrit que «la beauté est un présent des dieux; mais combien peu de femmes peuvent s'enorgueillir de leur beauté!». Il poursuit en nous offrant (ô combien généreusement!) ses conseils beauté: madame doit teindre ses cheveux blancs et savoir user d'artifices. Elle doit s'épiler les jambes et parfumer ses aisselles. Elle doit avoir les dents bien blanches et savoir faire briller ses charmes sans jamais laisser paraître tout le travail nécessaire pour y arriver. Pour «réparer la beauté des jeunes femmes peu favorisées par la nature», Ovide recommande d'animer l'éclat des yeux grâce à une cendre fine. Quelque chose comme le khôl.

Le khôl est une poudre minérale de teinte foncée, en partie composée de plomb. En Égypte ancienne, on s'en sert d'abord pour soigner les yeux; un large trait entourant l'œil permet de protéger des agressions du sable et du vent. Éventuellement, autant les hommes que les femmes l'utilisent également pour son effet esthétique. On dit que Cléopâtre avait un faible pour une teinte bleu marine sur la paupière supérieure et vert d'eau pour la paupière inférieure.

Le khôl est ensuite repris par les Arabes et les Berbères et devient un atout de séduction majeur. Sur la femme voilée dont on ne voit que les yeux, ça fait son effet. Les Arabes ont d'ailleurs un proverbe qui dit que l'œil est un arc dont les flèches atteignent toujours leur cible. Le khôl donne un petit coup de pouce au destin.

De notre côté de l'océan, la popularité du traceur pour les yeux (l'équivalent du khôl sans les propriétés nocives du plomb) concorde avec la découverte de la tombe de Toutankhamon dans les années 1920 et coïncide avec l'émancipation des femmes influencées par les stars hollywoodiennes du moment. Les années 1960 amènent la mode du *cat-eye*, popularisé par Brigitte Bardot et Sophia Loren, puis les années 1980 introduisent les couleurs vives.

Le khôl est associé à la féminité, au glam et au mystère. Manié d'une main habile, il sculpte le regard pour en faire un redoutable outil de séduction. La beauté est dans l'œil de celui qui regarde, mais elle est d'autant plus dans l'œil de biche d'Audrey Hepburn.

Qu'une femme se maquille pour se révéler ou pour se cacher, on s'attend d'elle qu'elle se fasse belle (sauf lors de la Journée sans maquillage, où elle doit assumer sa face au naturel jusqu'en couverture des magazines qui lui vendent ses produits de beauté les 364 autres jours de l'année). Les ventes mondiales de produits cosmétiques s'élèvent à 280 milliards de dollars, signe que la laideur est véritablement l'un des derniers tabous.

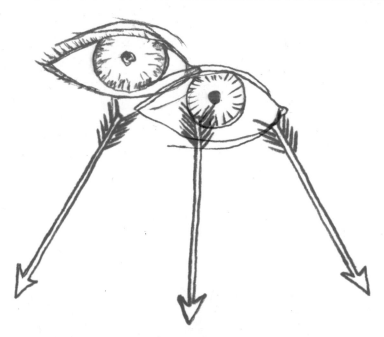

Laveuse

Lutte

Lèvres

Laveuse

Dans *Môman travaille pas, a trop d'ouvrage!*, pièce créée par le Théâtre des Cuisines en 1975, des femmes épuisées par la vie de ménagère et sa répétition incessante de tâches domestiques décident de faire la grève. Onde de choc; c'est quand les femmes ne le font plus qu'on réalise l'ampleur du travail domestique à accomplir. Faire la vaisselle, le lavage, préparer les repas, nettoyer la salle de bain, les planchers, le frigo, sortir les poubelles... Un travail invisible et surtout, non rémunéré, dont s'acquittent encore majoritairement les femmes.

Les femmes canadiennes consacrent en moyenne 133 minutes par jour aux tâches ménagères, contre seulement 83 minutes pour les hommes, un écart qui commence à diminuer alors que les femmes sont de plus en plus actives sur le marché du travail. Entre 1986 et 2010, les hommes ont consacré 19 % plus de temps aux tâches domestiques et les femmes ont diminué de 7 % le temps qu'elles investissent dans ces mêmes tâches.

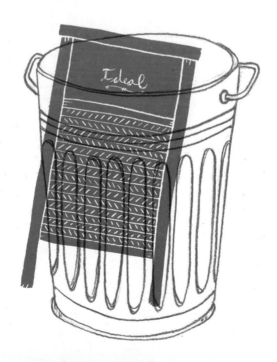

[En ce qui concerne la libération des femmes], on parle souvent de la pilule et on oublie la machine à laver. C'est grâce à elle que beaucoup de femmes aujourd'hui peuvent travailler. Sinon, elles seraient trop occupées à laver les chaussettes...

- Monia Mazigh

Les femmes peuvent en partie remercier la mécanisation pour l'allègement de leur travail domestique; à partir de la forte expansion électrique des années 1920, on peut compter sur l'aspirateur, la machine à coudre, le fer à repasser et, bien sûr, la machine à laver. Inventée par l'Allemand Jacob Christian Schäffer à la fin du XVIIIe siècle, elle mettra près de deux siècles à être commercialisée.

L'achat d'un gros appareil comme une machine laver est loin d'être à la portée de tous les ménages canadiens dans les années 1920 à 1940, mais la demande augmente avec l'essor de l'industrie des appareils électroménagers dans les années 1950. En 1951, ce sont déjà 75 % des foyers canadiens qui possèdent une machine à laver. En 1996, ils sont plus de 85 %.

Fini le long processus du lavage à la main – aller chercher de l'eau, la faire bouillir, laver le linge, l'essorer, l'étendre, attendre patiemment qu'il sèche avant de le ranger. La machine à laver libère les femmes et leur laisse du temps pour le travail ou les loisirs (ou les autres tâches ménagères...). Une publicité de la marque Lincoln, dans les années 1950, utilise d'ailleurs le slogan «Fini l'esclavage» pour vendre ses machines à laver!

Pas de doute, la «laveuse» est un symbole de l'émancipation des femmes, comme le sont le pantalon ou la pilule contraceptive à d'autres niveaux.

Lutte

« Lutte », un mot que j'aimerais voir
retiré de l'abécédaire féministe, en fait !
C'est un vieux vœu pieux des féministes
que la lutte n'en soit plus une, qu'on ne
soit plus dans la lutte entre les sexes,
du moins. Il faut réaliser qu'il n'y a
personne qui a avantage à ce qu'on soit
campés dans nos stéréotypes de genre
et qu'on ait à répondre aux attentes qui
nous sont imposées en raison de notre
sexe. L'égalité serait autant favorable
pour les hommes que pour les femmes.

- Judith Lussier

Lèvres

Des quelque 20 millions de chirurgies esthétiques et autres interventions cosmétiques non chirurgicales qui sont effectuées dans le monde chaque année, la plupart sont pratiquées sur des parties du corps qui se voient : les seins (augmentation mammaire, la chirurgie la plus prisée), le visage (injections de Botox pour freiner l'apparition des rides ou d'acide hyaluronique pour rendre les lèvres plus pulpeuses, chirurgie des paupières, rhinoplastie), la tête (greffe de cheveux, otoplastie pour corriger des oreilles décollées), la silhouette (liposuccion, abdominoplastie)... On peut généralement se regarder dans le miroir et trouver qu'on en a eu pour son argent. Si on fait partie du tiers des patients satisfait de son intervention, évidemment.

Avec l'influence de la porno (encore elle!), le bistouri s'aventure dans des territoires de plus en plus intimes. Les diktats de la beauté, toujours plus fortement dirigés vers les femmes, s'appliquent désormais aux parties génitales. Après les joies de l'épilation[12], on passe aux choses sérieuses.

Les possibilités sont infinies: rétrécissement du vagin, réduction des petites et des grandes lèvres ou du capuchon du clitoris, reconstruction de l'hymen, liposuccion du mont de Vénus, décoloration des lèvres ou blanchiment de l'anus. On veut un sexe à l'apparence prépubère, rosé, duquel rien ne dépasse. Les chances de développer de nouveaux complexes sont tout aussi infinies...

La demande pour la labiaplastie, ou réduction des petites lèvres de la vulve, ne cesse de croître depuis le début des années 2000. Autant les adolescentes que les femmes d'âge mûr en font la demande, parfois pour remédier à un problème bien réel (douleur lors des relations sexuelles, ou inconfort causé par le port de vêtements), mais dans de nombreux cas, la motivation est purement esthétique; on veut un sexe lisse comme celui d'une actrice porno, ou comme celui d'une de ces vedettes qu'on voit déambuler sur scène sans pantalons et sans débordements.

Si l'engouement pour ce type de chirurgies est relativement récent, on peut y voir un parallèle avec des pratiques de mutilation génitales qui, depuis des siècles, soumettent le sexe féminin à des codes régissant la sexualité. Même si la labiaplastie est entreprise volontairement, elle est également une réponse à la croyance encore trop répandue qui veut que le sexe de la femme soit impur, imparfait, et doive être dompté.

---

[12] Voir E: Épilation

Botox ou bistouri, maquillage permanent ou *piercing*, ça implique un choix. On utilise notre corps pour le changer selon la mode du jour, selon l'inspiration du moment. Le pire, c'est que ce ne sont pas juste les lèvres du visage qui passent sous le bistouri, et on trouve cela normal, ou du moins acceptable, dans notre société. On brandit pour tout et pour rien la charte des droits et libertés, nos propres intérêts... Mais c'est aberrant, ce culte qu'on porte à l'organe sexuel aux allures de celui d'un enfant. Le plus grave, c'est que les femmes plongent de plein gré dans ce commerce de superficialité et elles y entraînent leurs filles dès leur plus jeune âge.

- Hada Lopez

Malala Yousafzai

Mère

Marchand - Dandurand,
Joséphine

Malala Yousafzai

En octobre 2014, la jeune militante pakistanaise Malala Yousafzai est devenue la sixième citoyenne d'honneur du Canada. Elle figure sur la courte liste des Canadiens honoraires aux côtés de Nelson Mandela, du diplomate suédois Raoul Wallenberg, du 49e imam des musulmans chiites ismaïlis Karim Aga Khan IV, de la lauréate du prix Nobel de la paix birmane Aung San Suu Kyi et de Tenzin Gyatso, le 14e dalaï-lama. Un titre purement symbolique, mais certainement pas anodin.

C'est aussi en octobre 2014 que Malala Yousafzai, alors âgée de 17 ans, devient la plus jeune lauréate du prix Nobel de la paix. L'adolescente, née en 1997 dans la province pakistanaise de Khyber Pakhtunkhwa, est désormais installée en Angleterre où elle se bat sans relâche pour le droit des filles à l'éducation.

Alors qu'elle a seulement 11 ans, elle se fait remarquer en tenant un blogue sur le site en langue ourdou de la BBC. Elle y raconte la vie quotidienne dans sa région de Swat, tombée entre les mains des talibans. Sous le pseudonyme de Gul Makai, elle signe des billets critiquant notamment la fermeture des écoles pour filles par les talibans. «Je suis persuadée que l'école rouvrira un jour, mais, en quittant les lieux, j'ai regardé le bâtiment comme si je n'allais jamais y revenir», écrit-elle.

Son nom fait le tour du monde le 9 octobre 2012, quand elle frôle la mort pour ses idées. Alors qu'elle se rend à l'école en autobus, elle est la cible d'une tentative d'assassinat perpétrée par les talibans. Atteinte d'une balle à la tête, elle est transférée vers un hôpital du Royaume-Uni où elle s'en tire de justesse.

Elle devient un symbole de la lutte pour l'éducation des filles et contre les talibans, une martyre de l'extrémisme. Alors que plus de 100 millions d'enfants dans le monde – dont 55 % sont des filles – n'ont pas accès à l'enseignement primaire, Malala Yousafzai incarne la preuve vivante du pouvoir de la scolarisation. On sait que l'éducation aide les filles et les jeunes femmes à résister aux contraintes sociales injustes, à comprendre leurs droits et à devenir des agents de changement dans leurs communautés. Il faut parfois une jeune Pakistanaise courageuse pour nous rappeler que nos cahiers et nos crayons sont les meilleures armes à notre disposition.

Mère

Selon les données les plus récentes, le Canada compte davantage de ménages formés d'un couple sans enfants que de ménages comprenant un couple avec enfants, et ce, depuis 2006. On estime qu'une femme sur cinq, autant chez nous qu'en Australie, aux États-Unis et au Royaume-Uni, atteint désormais la mi-quarantaine sans avoir eu d'enfants. C'est deux fois plus que la génération précédente.

La femme sans enfants, que ce soit par choix ou plutôt par un concours de circonstances, demeure stigmatisée. Comme si on ne pouvait concevoir que le bonheur existe hors des sentiers battus de la maternité, comme s'il n'était pas possible de s'accomplir ou de s'épanouir comme femme (ou, plus simplement, comme *personne*) par d'autres moyens. Et pourtant. C'est Simone de Beauvoir qui disait : « Que l'enfant soit la fin suprême de la femme, c'est là une affirmation qui a tout juste la valeur d'un slogan publicitaire ». La perception de la maternité comme étant un impératif biologique est tenace, aussi tenace que les magazines à potins qui ne cessent de surveiller le ventre de Jennifer Aniston en faisant le décompte des mois de fertilité qui lui restent.

Il faut aussi dire que la femme qui choisit d'être mère n'est pas à l'abri de la pression : allaiter ou pas, retourner au boulot rapidement ou pas, attendre un an ou décider d'être mère au foyer, surveiller constamment son enfant ou regarder son téléphone au parc et le laisser s'érafler les genoux à l'occasion, organiser des fêtes d'anniversaire dignes de Pinterest ou acheter un gâteau même pas bio tout fait à l'épicerie... La culpabilité et la mère postmoderne, deux vieilles amies qui gagneraient à se voir moins souvent.

Le droit à la contraception et l'accès à l'avortement étaient au centre des luttes de la deuxième vague du féminisme, dans les années 1960 et 1970. Le message était clair : la femme revendiquait le contrôle de son corps et le droit de décider si elle aurait des enfants, et si oui, dans quelles circonstances.

La mère d'aujourd'hui donne naissance à son premier enfant plus tard (vers 29 ans en moyenne), elle est plus scolarisée (47,4 % des mères détiennent un diplôme postsecondaire, comparativement à 42,1 % des pères), elle est plus active que jamais sur le marché du travail (plus de 68 % des mères canadiennes travaillent) et elle est branchée (plus de 80 % des mères milléniales possèdent un téléphone intelligent).

Sachant que le temps accordé au travail ainsi que le salaire des femmes diminuent substantiellement lorsqu'elles deviennent mères, que les places dans les garderies subventionnées sont rares, que les femmes consacrent davantage de temps que les hommes à s'occuper des petits et que, dans près de 20 % des ménages avec enfants, une mère monoparentale tient la barre, la question de la maternité se pose toujours.

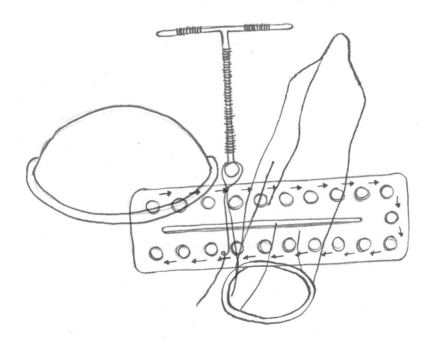

Marchand-Dandurand, Joséphine

Joséphine Marchand-Dandurand a ouvert la voie au journalisme féminin au Canada. Née en 1861 à Saint-Jean-sur-Richelieu dans un milieu privilégié, elle est passionnée par la littérature et douée pour l'écriture. Dès 1879, elle fait paraître des contes et des nouvelles dans *Le Franco-Canadien*, journal que dirige son père, mais aussi dans *La Patrie* et *L'Opinion publique*. Elle est alors l'une des rares femmes à s'essayer à la littérature au Canada français.

En 1886, elle épouse Raoul Dandurand, homme politique libéral qui racontera dans ses mémoires toute l'influence de sa femme sur sa nomination au sénat en 1898. Déterminée et ambitieuse, elle n'arrête jamais d'écrire : des articles journalistiques, des contes, des saynètes, ainsi que son journal intime. À travers ses écrits, elle demande l'accès à une meilleure instruction pour les femmes et revendique un élargissement de leur rôle social.

En 1893, bien avant *Châtelaine*, *Elle* ou *Clin d'œil*, Joséphine Marchand-Dandurand lance *Le Coin du feu*, la première revue féminine canadienne de langue française. C'est une revue littéraire dans laquelle ont peut parfois lire les grandes voix de l'époque (l'écrivaine Félicité Angers, la pionnière du travail social Marie Gérin-Lajoie), mais où Marchand-Dandurand elle-même signe la plus grande partie des textes, en plus de porter le chapeau de rédactrice en chef.

« Comme monsieur son mari, qui a son club, sa pipe, ses gazettes, madame aura aussi, et ce ne sera que justice, son journal à elle », écrit-elle dans le tout premier numéro du magazine. Jusqu'à la parution de l'édition de décembre 1896, qui marque la fin du mensuel, elle revendique un espace pour que les femmes s'expriment et se fassent entendre. Par sa plume,

Joséphine Marchand-Dandurand cherche à éduquer les Canadiennes et à leur donner le goût de la culture intellectuelle et de la politique. Ses textes engagés côtoient des rubriques sur la mode, la cuisine et la santé, à la manière de la presse féminine actuelle.

Quand elle met fin au *Coin du feu*, en raison de ses nombreux engagements qui l'empêchent de s'y consacrer autant que nécessaire, Joséphine Marchand-Dandurand considère que l'expérience est concluante et plaide pour l'éclosion de la presse féminine.

Elle devient ensuite collaboratrice pour diverses publications, dont *Le Journal de Françoise*, une autre revue littéraire qui s'efforce de dénoncer les injustices sociales subies par les femmes, et *La Revue moderne*, le mensuel généraliste destiné principalement aux femmes qui deviendra *Châtelaine* en 1960.

En parallèle, elle s'implique dans son milieu. Elle agit comme directrice du Conseil national des femmes du Canada et fonde, en 1898, l'Œuvre des livres gratuits, un organisme visant à favoriser l'accès à la lecture dans les régions éloignées et les milieux défavorisés. En 1902, elle participe à la fondation du Comité des dames patronnesses de la société Saint-Jean-Baptiste et, en 1907, de la Fédération nationale Saint-Jean-Baptiste.

Elle s'éteint le 2 mars 1925 à Montréal des suites d'une longue maladie.

Une des premières féministes canadiennes. C'est grâce à des femmes comme elle que nous pouvons aujourd'hui avoir la reconnaissance de notre travail en tant qu'écrivaines et journalistes.

- Hada Lopez

Navarro, Pascale

Nicole Brossard

NAC
(National Action Committee
on the Status of Women)

Navarro, Pascale

Née en France de parents marocains d'origine espagnole et italienne, Pascale Navarro arrive au Québec à l'âge de six ans. Après un baccalauréat en études françaises à l'Université de Montréal et une maîtrise en langue et littérature françaises à l'Université McGill, elle devient journaliste au milieu des années 1990. Passionnée de littérature et de culture, elle est cheffe de pupitre de la section Livres à l'hebdomadaire *Voir* de 1994 à 2003, elle collabore à diverses publications comme la *Gazette des femmes*, *Entre les lignes* ou *Elle Québec*, et elle tient une chronique littéraire à la Première Chaîne de Radio-Canada pendant près de 10 ans.

Parallèlement à son travail de journaliste, elle signe des essais toujours percutants qui incitent à réfléchir sur la condition féminine et sur le regard que les femmes portent sur elles-mêmes.

Dans *Interdit aux femmes*, essai coécrit avec la journaliste Nathalie Collard en 1996, elle critique la censure antiporno et déboulonne l'argument selon lequel la pornographie serait un facteur à la source de la violence faite aux femmes. Un discours choquant, même à l'aube des années 2000.

Dans *Pour en finir avec la modestie féminine*, en 2002, elle s'attaque aux valeurs traditionnellement associées au genre féminin. Modestes, prudes, les femmes sont éduquées à être discrètes et effacées, ce qui les freine quand vient le temps de prendre la place qui devrait leur revenir dans la société. Les femmes ont peur de déranger, de mettre leur poing sur la table, de déplaire, alors que les hommes ne se préoccupent pas de ces questions. Or, il ne faut pas avoir peur du pouvoir pour prendre le pouvoir.

En 2010, elle publie *Les femmes en politique changent-elles le monde?*, où elle soutient qu'il n'existe pas de pouvoir typiquement féminin. Plaidoyer féministe pour une présence accrue des femmes en politique, le livre défend au passage l'idée de recourir à des quotas[13], une idée qui est loin de faire l'unanimité. Cinq ans plus tard, alors que l'Assemblée nationale compte moins de 30 % de femmes élues, elle continue de creuser la question de la parité dans *Femmes et pouvoir: les changements nécessaires*, paru en 2015. Pour Pascale Navarro, le féminisme est à réinventer et les féministes doivent se trouver une cause commune. L'une de ces causes est justement la parité en politique.

Pascale Navarro est une journaliste rigoureuse qu'il faut lire pour son regard éclairé sur les enjeux du féminisme au XXIᵉ siècle.

---

[13] Voir Q: Quotas

Pour en finir avec la modestie féminine a été pour moi un livre de chevet pendant des années. Je pense que le plafond de verre auquel on est confrontées présentement n'est plus seulement de l'ordre de l'institutionnel. Il y a [quelque chose] de l'ordre de l'intériorisation. Ce qu'elle dit, Pascale Navarro, c'est qu'il ne faut pas confondre humilité et modestie. La modestie, c'est du conformisme et c'est le contraire de l'ambition ; ce qu'on nous demande, c'est de nous effacer. On peut occuper des fonctions d'autorité – moi-même j'ai été ministre, présidente de l'Assemblée nationale, et même cheffe de parti pendant uncertain temps –, mais ça reste plus intériorisé qu'on le croit. Je pense qu'il y a une réflexion à avoir sur ça, parce qu'on plafonne, on piétine présentement, et c'est beaucoup à cause de ça.

- Louise Harel

Nicole Brossard

C'est sur la scène du Théâtre du Nouveau Monde à Montréal le 5 mars 1976 qu'est créé le premier grand spectacle de femmes au Québec: *La nef des sorcières*, spectacle écrit par un collectif d'auteures et mis en scène par Luce Guilbault, réunit sur scène six actrices livrant une série de monologues dans lesquels des femmes de milieux et d'âges différents s'expriment sur leur vie privée. Ce spectacle marque son époque ainsi que l'émergence du théâtre féministe militant au Québec. L'une des voix qui s'en démarquent est celle de Nicole Brossard.

Née à Montréal en 1943, elle est l'une des figures incontournables de la littérature québécoise contemporaine. Poète, essayiste et romancière, son œuvre compte une trentaine de titres traduits en plusieurs langues.

On la définit partout à travers le monde comme étant une féministe lesbienne, et je me suis demandé : est-ce que c'est quelque chose qui est un prérequis, être différente, être divergente, pour pouvoir être dite « féministe engagée » ? Je suis mariée, j'ai trois enfants, je rentre vraiment dans le beau petit cadre social de « ce qu'on est censé faire dans la vie ». Je ne cadre pas du tout dans ce que je vois autour de moi comme féministes engagées. Celles à qui je pense sont soit lesbiennes, soit androgynes, soit vraiment rebelles. Je me pose naïvement la question, je n'ai pas de réponse, mais je me suis demandé ce que ça prend pour s'engager et pour qu'on nous donne une crédibilité, aussi.

- Mélissa Verreault

Depuis la parution de son tout premier recueil de poésie, *Aube à la saison*, en 1965, Nicole Brossard transgresse les règles du genre et jongle avec les mécanismes de l'écriture. Son œuvre, simultanément militante et charnelle, est une quête alliant à merveille émotion et réflexion.

L'amèr ou Le chapitre effrité, sans doute son livre le plus féministe, propose une réflexion sur la maternité à travers les mots d'une femme dont le quotidien est partagé entre sa fille et son amante. *Le désert mauve*, habile travail de mise en abyme et réflexion sur le langage, est considéré comme le premier roman postmoderne québécois. Au fil de ses nombreux recueils et romans, tels *Le centre blanc*, *Mécanique jongleuse* ou *Musée de l'os et de l'eau*, se révèle un univers poétique de l'intériorité qui met le sujet féminin sur la place publique et pose ainsi les jalons de l'histoire du féminisme au Québec.

À la fin des années 1970, Nicole Brossard participe à la création de deux revues : *La Barre du jour*, revue littéraire d'avant-garde très préoccupée par la forme et la théorie, puis *Les Têtes de pioche*, un journal féministe. En 1991, elle publie avec Lisette Girouard l'*Anthologie de la poésie des femmes au Québec*. Sont regroupés pour la première fois les textes de 138 poètes québécoises – de Marie de l'Incarnation à Louky Bersianik, en passant par Marie Uguay et Anne Hébert –, dans cette anthologie qui couvre les années 1677 à 1988. Un véritable travail de mémoire, révélateur du parcours de libération de la femme québécoise à travers les époques.

Ouvertement lesbienne, Nicolas Brossard dirige en 2006 le recueil de prose gaie et lesbienne *Baiser Vertige*, premier ouvrage québécois du genre.

Lauréate du Prix du Gouverneur général à deux reprises pour sa poésie, on lui a aussi remis la plus haute distinction littéraire au Québec en 1991, le prix Athanase-David. Reçue à l'Académie des lettres du Québec en 1994, elle ne cesse d'écrire depuis 1965.

NAC

(National Action Committee on the Status of Women)

Le National Action Committee on the Status of Women, ou Comité canadien d'action sur le statut de la femme, est un organisme militant fondé en 1971, d'abord pensé comme un groupe de pression dans la foulée du dépôt du rapport de la Commission royale d'enquête sur la condition de la femme au Canada[14]. Association de près de 30 organisation différentes de femmes, le NAC travaille à mettre en œuvre les 167 recommandations contenues dans le rapport de la commission qui visent à améliorer la condition des femmes.

Le NAC prend rapidement de l'ampleur, devenant le visage principal du mouvement des femmes au Canada au milieu des années 1980 et un joueur important sur la scène politique canadienne. À son apogée, le NAC est la plus grande organisation de groupes de femmes à l'échelle nationale, en représentant plus de 700 à travers le pays. Son influence sur les politiques touchant à la situation des femmes est indéniable; il fait progresser les législations en matière d'éducation, de garderies, de sanction de la violence faite aux femmes, d'équité salariale et de régulation des naissances, notamment.

Au départ, le NAC est financé à presque 100 % par le gouvernement fédéral, puis l'organisme voit son budget considérablement réduit par le parti conservateur-progressiste de Brian Mulroney à partir du milieu des années 1980. C'est le début de la fin. Les coupes se poursuivent sous Jean Chrétien, jusqu'à ce que le NAC soit contraint de cesser temporairement ses activités en 1998, fragilisé par les dettes accumulées et forcé de fermer plusieurs de ses bureaux régionaux. En 2001, le groupe n'a plus les moyens de payer sa présidente, ni les employés toujours en poste.

---

[14] Voir B: Bird

En 2004, le NAC survit dans une incarnation plus modeste (à peine cinq employées) grâce aux dons et aux frais d'adhésion de ses membres. Dix ans plus tard, il ne reste plus grand chose de ce comité autrefois influent; un site web à l'abandon, un numéro de téléphone réassigné et une feuille de route qui se termine en queue de poisson.

Le NAC est un exemple parmi tant d'autres de groupes de femmes forcés à se tourner vers des modes de financement alternatifs après avoir subi des coupes de budget par le fédéral à partir de la fin des années 1980. L'idéologie néolibérale pénalise les femmes, comme elle pénalise d'autres acteurs sociaux (associations étudiantes, groupes d'action communautaire, groupes de défense des droits...).

Dès 2006, sous le gouvernement conservateur de Stephen Harper, on assiste à une succession de fermetures de groupes voués à la lutte pour l'égalité, la sécurité et la santé des femmes. La défense des droits n'étant plus reconnue comme un objectif méritant un financement, les subventions de nombreux organismes sont abolies. L'association nationale Femmes et Droit n'a ainsi d'autre choix que de mettre la clé sous la porte, de même que la majorité des bureaux régionaux du Conseil du statut de la femme.

Qui, au gouvernement, défend les femmes? Alors que l'égalité entre les sexes n'est toujours pas atteinte, les groupes comme le NAC rappellent la nécessité d'avoir une voix indépendante au fédéral.

Olympiennes
Ovulation

OPPAL

(Commission Oppal)

Les hommés ont le sport, les femmes ont le «sport féminin». Ils ont les sports d'équipe les plus lucratifs, comme le hockey, le football et le basketball, et elles ont le volleyball de plage et la gymnastique. Une simple recherche commençant par «athlètes féminines» sur votre moteur de recherche favori mènera automatiquement à des listes de sportives auxquelles on a accolé les qualificatifs «belles», «sexy», voire «nues».

Certes, un nombre grandissant de femmes investit le sport de haut niveau et les médias s'intéressent de plus en plus à elles. En décembre 2015, l'influent magazine américain *Sports Illustrated* a d'ailleurs attribué le titre de personnalité sportive de l'année à l'incomparable joueuse de tennis Serena Williams, une mention qui n'avait pas été décernée à une femme depuis plus de 30 ans.

En matière de sport, les stéréotypes résistent et tiennent l'égalité homme-femme à distance. Au-delà du classique «les filles lancent comme des filles», le sport féminin ne serait pas aussi intéressant à regarder parce que pas aussi rapide ou spectaculaire. On associe encore le sport de compétition à la puissance et à la force, des attributs typiquement masculins. Le sport féminin étant moins médiatisé, les athlètes féminines sont moins bien payées et moins commanditées que leurs homologues masculins.

Les premiers Jeux olympiques modernes, inspirés des jeux de la Grèce antique, se tiennent à Athènes en 1896. Les femmes sont autorisées à concourir depuis les deuxièmes Jeux, à Paris en 1900. Quelques femmes participent alors aux épreuves qui leur sont ouvertes, soit le golf et le tennis. La joueuse de tennis britannique Charlotte Cooper devient la toute première femme à remporter une médaille d'or.

Il faut attendre les Jeux olympiques d'Amsterdam en 1928 pour que le sport féminin fasse officiellement son entrée dans le programme olympique, ce qui n'est pas sans déplaire au rénovateur des Jeux et fondateur du Comité international olympique (CIO), Pierre de Coubertin, qui y voit un affront à la pureté des Jeux. C'est le début des épreuves féminines de gymnastique et d'un petit nombre d'épreuves d'athlétisme : le saut en hauteur (épreuve remportée par la Canadienne Ethel Catherwood), le lancer du disque et les courses de 100 et de 800 mètres, ainsi que le relais 4 x 100 mètres (remporté par l'équipe canadienne).

Le nombre d'athlètes féminines aux Olympiques augmente considérablement depuis les Jeux de 1900, si bien que les femmes font partie de la délégation de chacun des 205 pays participants aux Jeux de Londres en 2012, une première historique. Dans la délégation canadienne, elles sont même plus nombreuses que les hommes (155 femmes contre 122 hommes), ce qui n'est pas le cas lors des jeux suivants, à Sotchi à l'hiver 2014. Le Canada enregistre sa meilleure représentation féminine aux jeux d'été de Rio, en août 2016, avec une équipe formée à 59 % d'athlètes féminines (soit 186 femmes contre 128 hommes).

L'engagement du CIO pour l'égalité des sexes dans le sport est inscrit dans la Charte olympique, ce qui implique que des efforts doivent être faits pour encourager la promotion des femmes autant dans la pratique sportive que dans l'organisation des Jeux. Obligatoirement, depuis 1991, tout nouveau sport souhaitant être inclus au programme olympique doit comporter des épreuves féminines.

Aux jeux d'été de Rio en 2016, approximativement 45 % des athlètes en compétition sont des femmes (c'est un pourcent de plus qu'à Londres en 2012), contre à peine 24 % à Los Angeles en 1984 et un faible 13 % à Tokyo en 1964. La parité n'est pas encore atteinte – surtout que les hommes ont toujours la possibilité de remporter 30 médailles de plus que les femmes –, mais il y a une nette amélioration.

L'histoire nous rappelle qu'à l'époque de la Grèce antique, quand Athènes tenait ses jeux, ce n'était que des hommes, des hommes grecs libres, par rapport à ceux qui étaient des esclaves, et tous étaient nus... Les femmes ne pouvaient pas y participer et ne pouvaient pas y assister. On a évolué ! Présentement, on ne peut plus imaginer des compétitions qui ne soient pas ouvertes aux hommes et aux femmes. Il y a évidemment des épreuves où c'est plus facile, l'égalité totale. Les compétitions hippiques entrc autres. Jusqu'en 2012, la boxe était interdite aux femmes, mais à l'inverse, jusqu'à maintenant, la nage synchronisée et la gymnastique artistique ne sont réservées qu'aux femmes. Il y a une réflexion à faire ici.

- Louise Harel

Ovulation

La fertilité de la femme est liée à ses cycles d'ovulation. Durant un cycle, une femme a 25 % de chances de tomber enceinte. Chaque mois, c'est donc une fenêtre de quelques jours à peine qui s'ouvre, permettant de concevoir un petit humain. Un cadeau, oui, mais un cadeau empoisonné pour certaines.

On tente de contrôler la fécondité depuis des siècles, que ce soit par l'abstinence, la contraception, la vasectomie ou l'hystérectomie.

Selon le Code criminel canadien de 1892, il est obscène de contrôler les naissances. La vente de moyens permettant de limiter les naissances est illégale et une personne trouvée coupable est passible d'une peine de deux ans d'emprisonnement. À l'époque, de nombreuses Canadiennes risquent leur santé au fil de grossesses répétées année après année.

En 1920, à la lumière de diverses recherches effectuées dans le monde sur la sexualité humaine, on remet en question la loi de 1892 et les familles plus aisées ou mieux informées ont clandestinement recours à des moyens contraceptifs commerciaux. Le taux de fécondité dans les milieux défavorisés reste toutefois élevé et les premiers groupes de pression pour la gratuité des moyens de contraception font leur apparition.

Le tout premier centre de planification familiale au Canada est créé par l'une des premières femmes médecins, Elizabeth Bagshaw, en 1932 à Hamilton, en Ontario.

La régulation des naissances obtient réellement la faveur de l'opinion publique après le baby-boom qui marque la fin de la Deuxième Guerre mondiale. Le 10 juin 1960, le Canada homologue sa première pilule contraceptive, 10 ans après sa création au Mexique. La pilule est d'abord prescrite pour des raisons thérapeutiques, jusqu'à ce que la contraception soit dépénalisée en 1969. Les femmes n'hésitent pas à l'adopter, et on estime qu'elles ont été plus de 200 millions à y avoir recours entre les années 1960 et 2000.

Selon Statistique Canada, 1,3 million de Canadiennes utilisent aujourd'hui la pilule – dont il existe des centaines de variétés –, soit 18 % des femmes de 18 à 49 ans. De nouvelles méthodes de régulation des naissances continuent à voir le jour, la plupart ciblant directement les hormones de la femme.

En contrepartie, les salles d'attente des cliniques de fertilité sont bondées. On s'y rend pour demander des services de congélation d'embryons, d'induction de l'ovulation, de fécondation in vitro ou d'insémination intra-utérine. Au cours des dernières décennies, les femmes occidentales ont repoussé l'âge de la maternité jusqu'à environ 30 ans (au moment de la naissance d'un premier enfant) et le taux de fécondité des femmes de 40 à 44 ans a considérablement augmenté, de 2 pour 1000 en 1985 à 10 pour 1000 en 2011.

Qu'on le veuille ou non, qu'il s'agisse de freiner ou de stimuler la fertilité, l'ovulation reste au cœur des préoccupations de la femme.

OPPAL
(Commission Oppal)

À la fin des années 1990, des dizaines de prostituées du quartier défavorisé Downtown Eastside de Vancouver, dont plusieurs sont d'origine autochtone, disparaissent mystérieusement dans l'indifférence quasi générale. En juillet 1999, on compte 31 femmes disparues sans qu'aucune arrestation n'ait eu lieu. Les autorités policières réfutent la thèse du meurtrier en série même si des indices pointent dès le départ vers un suspect : Robert Pickton, un éleveur de porc de Port Coquitlam.

L'enquête traîne pendant deux ans en raison d'un manque de ressources et de conflits de juridiction entre la GRC et la police, qui finiront par s'associer en 2001 tandis que le nombre de femmes disparues atteint 60. En février 2002, on fouille la ferme de Pickton pour y découvrir les restes de plusieurs femmes portées disparues. Pickton est accusé du meurtre prémédité de 26 femmes et, en décembre 2007, il est condamné à une peine de prison à perpétuité pour le meurtre de six d'entre elles. On estime qu'il aurait tué jusqu'à 49 femmes entre 1997 et 2002.

Bon nombre de ces meurtres auraient pu être évités, selon le rapport Oppal déposé en décembre 2012. Ce rapport est l'aboutissement de la Commission d'enquête sur les femmes disparues, chargée de se pencher sur les ratées de l'enquête policière dans l'affaire Pickton. La présidence de cette commission lancée en 2010 est confiée à l'avocat Wally Oppal, né en 1940 à Vancouver et diplômé de la faculté de droit de l'Université de la Colombie-Britannique. Le juge à la retraite a pour mandat d'examiner les circonstances des disparitions de ces femmes, de déterminer pourquoi aucune accusation n'a été portée contre Pickton lors d'une première arrestation en 1997 et de proposer des modifications aux protocoles d'enquête sur les disparitions de femmes et les meurtres en série en Colombie-Britannique.

Oppal conclut que si les disparitions des femmes du Downtown Eastside n'ont pas été prises au sérieux, c'est qu'elles étaient pauvres, qu'elles se droguaient et que plusieurs d'entre elles étaient autochtones. Citoyennes de seconde zone, elles n'ont pas été considérées équitablement par les policiers. Oppal déplore aussi que la police de Vancouver et la GRC n'aient pas été capables de conjuguer leurs efforts dans la recherche du meurtrier. Dans son rapport de 1 500 pages intitulé « Abandonnées », il fait 63 recommandations allant de la création d'un service destiné spécifiquement à l'analyse de cas de disparitions, indépendant des forces policières, à la mise en place pour les policiers d'une meilleure formation sur la réalité des populations marginalisées.

Oppal refuse toutefois de parler de discrimination systémique de la part des forces policières envers les femmes autochtones, ce qui lui attire des critiques de la part de l'Association des femmes autochtones du Canada, notamment, qui lui reproche de ne pas avoir suffisamment insisté sur l'aspect de la violence faite aux femmes autochtones. Ces femmes invisibles, trois fois plus à risque de violence que les autres Canadiennes, sont surreprésentées parmi les victimes de meurtre au pays.

Il y a longtemps que des voix s'élèvent pour réclamer une commission d'enquête nationale sur les femmes autochtones disparues ou assassinées. Certains gouvernements provinciaux, l'Assemblée des Premières Nations, le groupe Human Rights Watch, Amnistie internationale et l'ONU sont du nombre.

Le 8 décembre 2015, le gouvernement libéral de Justin Trudeau annonce finalement la tenue d'une telle commission. Selon plusieurs groupes consultés, la commission devra se pencher sur la question de la pauvreté, qui emprisonne les femmes autochtones dans un cycle de vulnérabilité pouvant mener à la prostitution, au trafic de drogue et à la violence conjugale. Il faudra enfin voir la violence envers les femmes autochtones comme un problème d'ordre socio-économique plutôt que comme une simple question de criminalité.

Les femmes autochtones qui sont disparues et assassinées, c'est quelque chose, dans un pays développé, qui est vraiment surprenant. Il y a plus de 600 cas maintenant, alors que la population autochtone représente quelque chose comme 2 % de notre population.
Si c'était des femmes blanches, ce serait l'équivalent de 18 000 femmes disparues et tuées. Le niveau de violence envers les femmes autochtones est égal à celui dans les pays en pleine guerre. On pense que ce n'est pas un problème de société…

- *Karen Cho*

Payette, Lise
Patriarcat
Programme national
de garde d'enfants

Payette, Lise

Si quelqu'un, un jour, a dit à Lise Payette que toutes les avenues n'étaient pas ouvertes aux femmes, on peut imaginer qu'elle n'a rien entendu. Parce qu'elle a tout fait. Auteure de plusieurs essais et scénariste de téléromans populaires comme *Les dames de cœur*, *Marilyn* et *Les machos*, chroniqueuse, animatrice marquante à la radio et à la télévision, femme politique et militante invétérée, elle est une figure emblématique du Québec moderne et sa contribution à l'amélioration de la condition des femmes est le fruit du travail de toute une vie.

Née dans le sud-ouest de Montréal le 29 août 1931, elle se lance dans une carrière de journaliste à la radio en 1954, entre Rouyn-Noranda, Trois-Rivières, Québec et Montréal. Elle passe ensuite six ans en France, où elle écrit entre autres pour *La Presse* et pour le magazine *Châtelaine*, et où elle coanime l'émission *Interdit aux hommes*, pour laquelle elle est appelée à réaliser des entrevues avec des personnalités de la trempe de Françoise Sagan, Romain Gary et Louis Aragon.

De retour au Québec, elle se retrouve à la barre de l'émission *Place aux femmes* à la radio de Radio-Canada, de 1965 à 1970. Dans cette émission considérée comme le premier magazine féministe radio-canadien, Lise Payette parle ouvertement des préoccupations des femmes de l'époque: inégalités entre les sexes, divorce, maternité non désirée, violence conjugale et difficultés pour les femmes d'accéder aux études supérieures. En 1970, elle enchaîne avec un talk-show de fin de soirée, *Appelez-moi Lise*. Elle s'impose comme une référence en la matière, un modèle dans l'art de mener une entrevue. L'émission devient *Lise lib* en 1975, puis Lise Payette fait le saut en politique.

Recrutée par René Lévesque, elle se présente comme candidate pour le Parti québécois et est élue dans le comté de Dorion le 15 novembre 1976. Elle occupe le poste de ministre des Consommateurs, Coopératives et Institutions financières avant de se voir confier le tout nouveau ministère d'État à la Condition féminine en 1979. Elle y reste jusqu'à son départ de la politique en 1981, quand elle décide de ne pas se présenter à l'élection générale suite à ce qu'on a appelé «l'affaire des Yvettes»[15].

---

[15] Voir Y: Yvettes

INTERDIT AUX HOMMES

Bienvenue aux Dames

On lui doit la réforme de la Loi sur la protection du consommateur, la création de la Société de l'assurance automobile du Québec, le remplacement du slogan «La Belle Province» par «Je me souviens» sur les plaques d'immatriculation québécoises, la modification au code civil permettant aux parents de transmettre à leurs enfants les deux noms de famille et la mise en application d'une première politique sur la condition féminine. Elle travaille également à l'instauration d'un régime de pensions alimentaires, à l'offre de meilleurs services de garde et à l'implantation des congés de maternité, de grands accomplissements au chapitre de l'émancipation de la femme québécoise.

Porte-parole de la cause des femmes devant l'éternel, Lise Payette n'a jamais eu peur de provoquer. Encore aujourd'hui, elle continue de combattre les stéréotypes et de dénoncer les attaques contre les femmes avec l'esprit aiguisé qu'on lui connaît, notamment dans les pages du journal *Le Devoir* où elle tient une chronique depuis 2007.

Absolument incontournable.
Elle est la femme qui a publié
*Pour les Québécoises : égalité
et indépendance*, un recueil
de 376 recommandations qui
apparaissaient impossibles à
envisager avant, et à partir
desquelles on a fait des pas
de géante. Même à l'âge qu'elle
a maintenant, elle brasse
encore la cage.

- Louise Harel

Patriarcat

Le patriarcat désigne le système social de domination des femmes par les hommes, un système qui entretient une division basée sur le sexe. Le terme est parfois contesté, parce que jugé trop vaste. Les féministes anglo-saxonnes, elles, parlent de « système de genre », insistant clairement sur la construction sociale des sexes et la place qui revient à chacun. Dans un système patriarcal, l'homme incarne la figure du chef de famille et de l'autorité, à laquelle la femme se soumet. Et qui dit distribution inégale du pouvoir dit forcément inégalités sociales [16].

Ce rapport de domination des hommes sur les femmes se manifeste dans la sphère publique, dans le monde du travail, où les salaires des femmes sont souvent inférieurs à ceux des hommes, même au sein d'une même profession [17]. Dans la dévalorisation des activités dites « féminines ». Dans la réduction des services de garde d'enfants, dont l'incidence sur la participation des femmes au marché du travail est documentée. Dans les efforts limités de l'État pour contrer la violence faite aux femmes. Dans l'objectivation sexuelle de la femme, à travers la pornographie, mais aussi dans les images standardisées du corps féminin véhiculées par les médias et la publicité.

Dans la sphère privée, soit dans la vie familiale et domestique, les marques du patriarcat sont plus subtiles. Oui, les femmes peuvent divorcer ou se séparer d'un conjoint de fait, mais elles sont plus pénalisées financièrement par la suite [18]. Les pères participent de plus en plus aux tâches ménagères et à l'éducation des enfants, mais sans les attentes et la pression que subissent typiquement les mères. Une forme d'oppression que les féministes combattent en critiquant les rôles genrés, entre autres.

À la croisée de la sphère publique et privée, la domination masculine sur les femmes se manifeste aussi au sein des ménages au plan économique. Sachant que le revenu des femmes n'est que de 59 % en moyenne de celui des hommes, un pouvoir inégalitaire au sein du couple peut potentiellement s'imposer dans plusieurs cas. L'argent apporte une liberté et une autonomie certaines ; lorsque la femme gagne moins que l'homme

---

[16] Voir I: Inégalité
[17] Voir E: Égal
[18] Voir B: Blonde

dans le couple, elle a donc accès à une liberté et une autonomie moindre. Si ces écarts ont substantiellement diminués ces dernières décennies, ils se perpétuent tout de même, particulièrement pour les femmes retraitées, et maintiennent une forme de domination masculine sur les femmes.

Lorsque famille et monde des affaires s'entremêlent, on retrouve trop souvent un traitement différencié envers les femmes et les hommes au sein des entreprises familiales. C'est particulièrement le cas lorsqu'il est question du transfert de propriété des parents aux enfants. L'écrasante majorité des propriétaires de ces entreprises sur le point de prendre leur retraite sont des hommes. Bien que le phénomène soit mal documenté, plusieurs cas montrent que ces hommes sont réticents à passer le flambeau à leurs filles. Non pas nécessairement par sexisme pur, mais parce que les préjugés envers les femmes perdurent : si elles désirent avoir des enfants, elles ne seront pas assez disponibles pour gérer l'entreprise.

Paraît-il qu'on vit dans un monde patriarcal. C'est ce qu'on nous dit. Dans l'intimité, dans le domestique, est-ce que c'est si patriarcal que ça ? Qui mène dans les foyers ? Les femmes ont quand même un pouvoir, et je trouve que ce pouvoir-là est dénigré. Je connais plusieurs femmes de ma génération qui ont fait le choix assumé d'être mère au foyer pour les premières années de vie de leurs enfants, et elles se font juger. Je trouve ça vraiment dommage, parce que c'est un métier en soi, c'est une carrière. Dans notre système patriarcal, est-ce qu'on ne pourrait pas davantage reconnaître ce rôle-là, de la mère ou du père au foyer ?

- Mélissa Verreault

Programme national de garde d'enfants

Le programme québécois de garderies[19] implanté à la fin des années 1990 a eu pour effet de favoriser la croissance économique, générée par une plus grande participation des femmes au monde du travail. Or, le reste du Canada ne bénéficie pas d'un tel programme, bien que l'idée soit sur la table depuis que la Commission royale d'enquête sur la situation de la femme au Canada en a fait la recommandation dans son rapport déposé en 1970.

On estime que le coût mensuel moyen pour la garde d'un bébé dans les grandes villes québécoises est de 152 $, contre 800 $ à Saskatoon, 873 $ à Halifax, 1 050 $ à Calgary, 1 215 $ à Vancouver et 1 676 $ à Toronto. Ces coûts augmentent avec l'âge des enfants, sauf au Québec où ils restent les mêmes.

En campagne électorale fédérale, la question d'un éventuel programme national de garderie revient régulièrement, mais jusqu'à maintenant, les gouvernements ont plutôt fait le choix de subventionner les parents. En 2015, par exemple, au lieu d'un programme national de garderies, on a introduit le programme de la Prestation universelle pour la garde d'enfants (PUGE), qui verse aux familles un paiement mensuel imposable de 160 $ par enfant de 6 à 17 ans.

Pour ceux qui s'y opposent, un programme national de garderies reviendrait à faire le choix politique de privilégier la travailleuse salariée au détriment de la mère au foyer. Mais pour ceux qui le défendent, un tel programme permettrait au contraire aux femmes de choisir si elles resteront à la maison avec les enfants ou si elles retourneront travailler.

---

[19] Voir G : Garderie

Québec

Quotas

Queer

Au Québec, les femmes constituent 50,3 % de la population et 47,4 % de la population active sur le marché du travail. Elles affichent un taux de chômage moins élevé que celui des hommes, mais elles gagnent en moyenne 21,04 $ l'heure, contre 23,95 $ l'heure pour les hommes. Elles sont de plus en plus nombreuses à entreprendre des études supérieures, si bien que davantage de femmes obtiennent désormais un diplôme de baccalauréat et qu'elles représentent plus de la moitié des diplômés de maîtrise. Elles sont 48,7 % à atteindre la trentaine sans avoir eu d'enfants et elles dirigent 76 % des familles monoparentales. Tout ça pour dire qu'il ne fait pas trop mauvais être une femme au Québec actuellement, même si l'égalité n'est pas encore tout à fait atteinte.

Parmi les principaux enjeux du mouvement féministe québécois de la première moitié du XXe siècle, on note le combat pour le droit de vote des femmes. L'Église catholique et certains intellectuels s'y opposent fermement, y voyant une menace pour la famille québécoise et pour la foi catholique. Des féministes comme Thérèse Casgrain, qui fonde la Ligue des droits de la femme en 1929, et Idola Saint-Jean, à la tête de l'Alliance canadienne pour le droit des femmes du Québec, mènent la lutte. Les Québécoises obtiennent finalement le droit de vote dans leur province le 25 avril 1940, 20 ans après l'acquisition de ce même droit au fédéral.

Pendant la Deuxième Guerre mondiale, les femmes font leur entrée dans les usines pour combler la pénurie de main-d'œuvre causée par l'enrôlement de centaines de milliers d'hommes dans l'armée. Une fois la guerre terminée, on les encourage à retourner à la maison; on associe leur participation au monde du travail rémunéré à la délinquance juvénile, au chômage des hommes et à l'alcoolisme. Si une majorité de femmes retourne effectivement à la maison, une transition est amorcée et la décennie 1950-1960 voit le travail des femmes généralement accepté, quoi que surtout avant le mariage. On commence à mettre en place des mesures de promotion du travail des femmes.

Avec la deuxième vague du féminisme née à la fin des années 1960, le combat s'oriente davantage vers la quête d'égalité et la libération des femmes. Sur le marché du travail, en éducation et même en politique, les barrières qui freinent l'affirmation des femmes jusque-là tendent à tomber. On revendique l'émancipation sexuelle et la régulation des naissances. L'avortement thérapeutique est décriminalisé au fédéral en 1969, et deux ans plus tard est créé le premier comité de planification familiale au Québec.

Le mouvement féministe au Québec est toujours actif aujourd'hui et s'inscrit maintenant dans une troisième vague, qu'on associe particulièrement à la génération Y. Cette nouvelle itération du féminisme se caractérise, d'une part, par l'intégration des luttes féministes à d'autres combats pour les droits d'autres groupes sociaux[20] et, d'autre part, par une plus grande subjectivité, exprimée hors des contextes traditionnels, notamment médiatiques. C'est ainsi que ces femmes revendiquent des droits accrus pour les femmes en même temps que pour les LGBTQ, les femmes issues des minorités ethniques ou les victimes de marginalisation économique. De plus, la subjectivité qu'elles promeuvent se traduit par une réappropriation du contrôle sur leur corps et leur sexualité et par leur utilisation des médias sociaux, et du web en général, pour diffuser leur message.

---

[20] Voir I: Intersectionnalité

On sait qu'on a été dominé par le clergé. À cette époque, on ne disait pas « Q » mais « Que », parce que « Q » risquait de générer de mauvaises pensées. Alors tous ceux qui sont passés par les pensionnats à cette époque ont dit « L, M, N, O, P, Que, R ». Il y en a que ça a marqué ! Moi, j'ai fait ces pensionnats-là et mes parents ont travaillé pour mettre fin à cette période de la grande noirceur avec le Refus global. En 1948, avec la signature du Refus global qui a marqué l'entrée du Québec dans la modernité, ça a été aussi l'entrée des femmes dans la liberté, si on peut dire. Liberté sur le plan artistique, liberté sur le plan familial, liberté sur le plan du couple, liberté sur le plan de la sexualité. Donc, une époque marquante pour le Québec.

On avait eu le droit de vote peu de temps avant, en 1940. On était très en retard, c'était en 1922 dans les autres provinces. Ça a évolué, mais ça a pris quand même 72 ans après ce droit de vote-là avant qu'on ait une femme première ministre. Avec le nouveau visage du Québec, avec ces femmes qui viennent de la diversité culturelle, je pense qu'on a intérêt à développer notre ouverture face à elle, parce que c'cst la réalité à laquelle on fait face aujourd'hui.

- Manon Barbeau

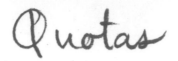

Quotas

Depuis que les femmes ont obtenu le droit de se présenter aux élections fédérales en 1920, elles sont chaque année un peu plus nombreuses à le faire. Elles étaient 4 candidates en 1921 (une élue), 37 en 1965 (4 élues), 218 en 1980 (14 élues) et 451 en 2011 (76 élues). Elles composent toutefois moins de 30 % des élus au Parlement.

L'élection fédérale d'octobre 2015, qui a porté les libéraux de Justin Trudeau au pouvoir, marque un record pour la représentativité des femmes : 88 des 533 candidates sont élues. En campagne, Trudeau avait promis la parité. En formant son cabinet ministériel avec 15 hommes et 15 femmes, c'est promesse tenue. Dans une société démocratique où les femmes comptent pour la moitié de la population, il devrait sembler normal qu'elles occupent aussi la moitié des sièges au Conseil des ministres. Pourtant, il s'agit du premier cabinet fédéral paritaire de l'histoire canadienne.

Avec ce nouveau cabinet paritaire, le Canada passe du 20e au 3e rang mondial du classement des pays selon la présence féminine dans les conseils de ministres, à égalité avec le Liechtenstein, tout juste derrière la France, le Cap-Vert et la Suède.

Pour augmenter la représentation des femmes en politique, ce qui est un enjeu majeur si l'on souhaite représenter la diversité de l'électorat et favoriser l'égalité homme-femme, plusieurs pays ont recours à un système de quotas. Qu'ils prennent la forme de sièges réservés, de quotas adoptés par les partis politiques eux-mêmes, ou de quotas légaux rendus obligatoires par la législation ou la constitution d'un pays, ces quotas servent à assurer que les femmes forment une minorité critique de 30 % ou 40 %.

La parité est-elle nécessaire à l'instauration d'une véritable démocratie ? Les quotas sont-ils la solution ? Au Québec, le Conseil du statut de la femme, qui réclame un quota de 40 % à 60 % de candidatures féminines aux élections, croit fermement que oui. Dans son essai *Les femmes en politique changent-elles le monde?*, la journaliste et essayiste Pascale Navarro[21] compare l'imposition de quotas aux mesures étatiques mises en place aux États-Unis dans les années 1960 pour combattre le racisme contre les Noirs. Des mesures qui ont contribué à réduire efficacement les injustices. À l'opposé, certains sont plus hésitants, craignant qu'on fasse passer le mérite après le sexe.

Les femmes sont sous-représentées aux échelons supérieurs du monde politique, mais elles le sont aussi dans le milieu des affaires. En 2015, elles obtiennent le tiers des maîtrises en administration des affaires, mais elles ne détiennent que 20,8 % des sièges au sein des conseils d'administration des entreprises canadiennes cotées en bourse. Face à une culture d'entreprise où les stéréotypes sexistes sont souvent perpétués involontairement, le gouvernement du Canada a mis en place en avril 2013, par l'entremise de Condition féminine Canada, un conseil consultatif formé de dirigeants des secteurs privé et public, visant à accroître la participation des femmes aux conseils d'administration. Dans son rapport déposé un an plus tard, le conseil recommande notamment d'établir à 30 % l'objectif national de représentation des femmes à atteindre d'ici 2019.

Dans un système qui avantage traditionnellement l'homme[22], la parité est l'illustration même de l'idée d'égalité. Les quotas sont un outil pouvant servir au changement des mentalités, nécessaire autant chez les hommes que chez les femmes pour en venir à ce qu'un jour les femmes occupent naturellement les sphères de pouvoir au même titre que leurs confrères.

---

[21] Voir N: Navarro
[22] Voir P: Patriarcat

On pense souvent la question des quotas
en lien avec la question de la parité dans la
représentation politique, mais on parle peu
de la quasi-absence des femmes dans les
conseils d'administration d'entreprises, sauf
de celles qui sont des espèces de superstars,
qui sont montrées comme des modèles,
mais qui ne sont pas représentatives. Le
quota est mal vu parce que, justement,
il présuppose que la personne qui sera
recrutée parce qu'elle est femme ne sera
pas qualifiée. J'irais jusqu'à dire que si on
ne pousse pas certaines portes, on n'aura
peut-être pas de représentation de femmes ;
que la présence de femmes au sein des
conseils d'administration, des partis
politiques, etc., ne sera pas « normale ».
Il faudrait revaloriser la présence des
femmes à travers les quotas

- Bochra Manai

Queer

Le féminisme contemporain est fragmenté; ses contours se sont élargis jusqu'à englober des luttes qui dépassent les seuls droits des femmes, comme la pauvreté et le racisme, par exemple. Si, à une époque, la domination masculine était le véritable ennemi, on s'affaire aujourd'hui à défendre les intérêts d'une population plus diversifiée de femmes victimes de toutes sortes d'oppressions, que ce soit en raison de la couleur de leur peau, de leur orientation sexuelle, de leur âge ou de leur condition physique[23].

En Amérique du Nord, on introduit l'idée d'une troisième vague du féminisme au début des années 1990 pour parler d'une nouvelle étape dans le mouvement des femmes, une étape caractérisée avant tout par l'importance donnée à la diversité. Pour la première fois, le mouvement féministe concentre ses efforts sur les femmes doublement marginalisées: les autochtones, les prostituées, les femmes de couleur, les handicapées, les lesbiennes et les transsexuelles.

En parallèle, la théorie *queer* est introduite au sein des études de genre. Le mot «queer», qui signifie «étrange», était à l'origine une manière péjorative de désigner les gais, lesbiennes et transsexuels, que les militants issus de cette communauté se sont réapproprié dans les années 1980. La théorie *queer*, donc, repense l'identité hors des cadres normatifs de la société. On sépare le sexe biologique et le genre, ce dernier étant considéré comme un construit social. La théorie *queer* et le féminisme ont un objectif commun, celui de changer la manière dont la société pense le genre et associe des rôles précis à chacun. Des rôles qui peuvent être lourds à porter quand on ne cadre pas dans les standards hétéronormatifs, notamment.

Le Canada a décriminalisé l'homosexualité en 1969 et le Québec a été la première province, en 1977, à interdire la discrimination basée sur l'orientation sexuelle dans sa Charte des droits et libertés. On a même

---

[23] Voir I: Intersectionnalité

légalisé le mariage homosexuel en 2005. Malgré tous les efforts déployés pour les droits des minorités sexuelles, l'égalité juridique et sociale des personnes LGBTQ n'est pas atteinte. Intimidation et intolérance sont toujours fréquentes, dans un pays où 10 % des crimes contre la personne auraient des motivations liées à l'orientation sexuelle.

À travers son courant *queer*, le féminisme offre une réflexion sur les discours dominants qui continuent à influencer la manière dont on pense et dont on vit la sexualité. C'est une réflexion dont on a encore besoin.

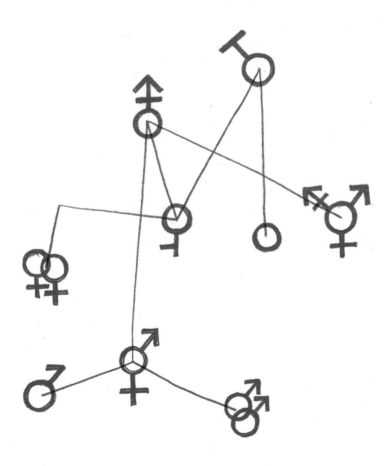

Rémunération

Régime

Réalisatrices

Rémunération

Les femmes gagnent en moyenne 10 000 $ de moins que les hommes.

Une étude réalisée par l'Institut de la statistique du Québec, dont les résultats ont été publiés en mars 2015 (juste à temps pour la Journée internationale de la femme, qui demeure le moment le plus probable pour ce genre de conversation dans les médias de masse), indique que dans le secteur privé, au sein des entreprises de 200 employés et plus, le salaire des femmes professionnelles atteignait 34,36 $ l'heure, en 2013, comparativement à 38,55 $ l'heure pour les hommes. À compétences égales, c'est un écart de 4,19 $ l'heure. En Ontario, pour chaque dollar gagné par un travailleur, une travailleuse gagne 74 cents, ce qui représente un écart salarial de 26 %.

On évoque plusieurs facteurs pour expliquer la disparité salariale qui persiste, notamment la discrimination dans les pratiques d'embauche et de promotion, le fait que souvent les femmes quittent le marché du travail pour s'occuper des enfants, ce qui peut entraîner une perte de séniorité et de salaire, mais aussi la sous-évaluation des emplois «typiquement féminins» comme le travail de bureau ou le gardiennage d'enfants, qui demeurent sous-payés.

La syndicalisation est également moins répandue chez les femmes que chez les hommes, et les études tendent à démontrer qu'au Canada, les femmes syndiquées gagnent 39 % de plus que les autres et ont de meilleurs avantages sociaux et une plus grande sécurité d'emploi.

Les femmes accomplissent également au sein de la famille une grande part de travail invisible – les soins divers et les tâches domestiques – qui n'a aucune valeur monétaire. Ces tâches domestiques, majoritairement effectuées par les femmes[24], commencent tout juste à être considérées comme une forme de travail grâce aux critiques féministes qui ont fait ressortir son importance pour le bien-être de la famille entière, mais aussi pour celui de toute la société. Le travail domestique produit en effet des biens et services importants sans être compris dans le PIB, comme les repas, les prestations de soins et les prestations éducatives. En 1978, le Conseil du statut de la femme évaluait le travail ménager à 80 milliards pour le Canada. En 1986, on parlait de 199 milliards.

Le parent au foyer (la mère dans 89 % des cas au Canada) est sans contredit le champion du travail invisible. On estime que s'il était salarié, il empocherait 152 000 $ par année.

La rémunération du travail ménager a été revendiquée par certains groupes féministes dans les années 1970, mais n'a pas été une lutte commune au mouvement des femmes. En mars 1981, le magazine féministe *La Vie en rose* y consacre tout un dossier et se positionne en faveur d'un salaire pour le travail ménager, contrairement à la grande majorité des 22 groupes féministes sondés (comme le Conseil du statut de la femme, la Ligue des femmes, le Cercle des fermières...).

Aujourd'hui, on souhaite surtout un partage égal de ces tâches à l'intérieur du couple, mais aussi une plus grande reconnaissance du fait que, sans le travail invisible des uns (qui font les lunchs, s'occupent des parents vieillissants et s'assurent qu'il reste des sous-vêtements propres dans les tiroirs), il serait difficile pour les autres de se réaliser pleinement dans toutes ces sphères qui ont, elles, une valeur monétaire.

---

[24] Voir L : Laveuse

Il y a un fameux adage qui dit que tout travail mérite salaire. Si on appliquait cet adage, les femmes seraient les personnes les plus riches au monde. L'idée derrière le mot « rémunération », c'est de voir comment la société traite le fait d'être payé pour les tâches que nous faisons. La société détermine que c'est de 9 à 5 qu'on est payé et que c'est ça notre salaire. Mais il y a chez les femmes tout un pan d'activités, de tâches qu'elles ont à faire, qui ne sont jamais rémunérées. La maternité, par exemple. Il doit y avoir une équité salariale, il doit y avoir un accès des femmes au travail, mais il faut aussi considérer la part immense de ce travail caché.

- Bochra Manaï

Régime

Quiconque cherche à perdre quelques livres en trop a l'embarras du choix de la méthode. On peut copier les habitudes alimentaires des cosmonautes de la NASA (régime Cosmonaute) pendant trois jours en espérant perdre 3 kg, et courir la chance de les regagner aussitôt le régime terminé. On peut exclure de notre alimentation tous les produits introduits depuis le néolithique (régime Paléo) et dire adieu aux produits industriels à tout jamais. On peut s'alimenter uniquement de pamplemousse (régime Hollywood) ou de soupes (régime Soupe) pendant 15 jours, puis mourir d'ennui.

Le 6 mai de chaque année, depuis 1992, on célèbre la Journée internationale sans diète pour dénoncer d'une part l'inefficacité des régimes amaigrissants, et d'autre part, l'obsession de la minceur et les troubles qui en découlent.

Si on a besoin d'une telle journée, c'est que les chiffres n'ont rien de rassurant[25]: au Canada, entre 80 % et 90 % des femmes et des filles seraient insatisfaites de leur apparence physique. Une femme ou fille sur 10 développerait un trouble alimentaire au cours de sa vie. Et les filles commencent à suivre des régimes de plus en plus tôt, parfois dès l'âge de cinq ou six ans.

Devant la hantise de la prise de poids, le régime amaigrissant est souvent le premier recours envisagé, le but étant de perdre du poids le plus rapidement possible. Mais il est documenté que la privation n'est pas la solution. Au contraire, elle peut mener à l'excès – un phénomène qu'on a baptisé «syndrome du yoyo» – et vient avec un à-côté de culpabilité fort contre-productif. La sévérité des diètes drastiques qu'on entreprend juste avant un voyage à la plage, ou pour enfiler cette robe achetée une taille trop petite, fait qu'il est impossible de les suivre à long terme... et leur abandon mène à la reprise des kilos perdus (voire même plus), puis à la reprise du cycle des régimes. Dans les années suivant un régime, à peine 5 % des gens maintiennent leur nouveau poids.

---

[25] Voir P: Patriarcat

Le modèle unique de beauté féminine auquel on est exposé n'est assurément pas accessible à toutes. La femme moyenne mesure 5 pieds 4 pouces et pèse 148 livres, tandis que la mannequin moyenne est beaucoup plus grande et pèse environ 23 % de moins (c'était 8 % il y a 20 ans). La différence entre la femme «normale» et celle à laquelle elle se compare dans les magazines est de plus en plus prononcée, ce qui peut déclencher une insatisfaction favorisant le développement de comportements nuisibles à la santé, comme l'entraînement excessif ou les diètes restrictives. Une insatisfaction à laquelle les adolescentes, dans une période cruciale du développement de l'estime de soi, sont particulièrement enclins. Quand la majorité des adolescentes avoue avoir fait des tentatives sérieuses pour perdre du poids, on peut conclure que le culte de la minceur comme idéal de beauté fait plus de mal que de bien...

On calcule que d'ici 2019 dans le monde, l'industrie de l'amaigrissement générera des revenus de plus de 206 milliards de dollars. C'est trop d'argent investi dans des régimes, des détoxifications et des pilules qui n'ont rien de miraculeux.

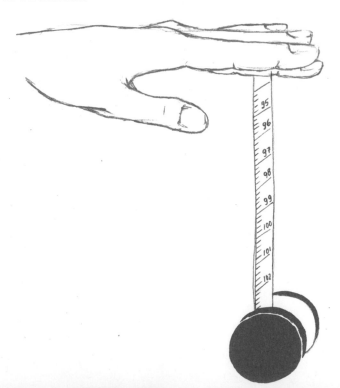

C'est une obsession collective dont je souffre et dont je m'accuse. Je vis autour de femmes qui sont extrêmement brillantes, qui sont militantes, qui sont engagées, qui sont des intellectuelles, qui sont en pleine possession de ce qui est important et de ce qui ne l'est pas dans notre société, et pourtant, presque toutes sont profondément insatisfaites de leur corps, convaincues que leur valeur est liée à leur minceur, et que le rejet potentiel des autres est justifié si leur corps ne correspond pas à une certaine image. Il y a quelque chose là comme une névrose collective dont on est victimes et, en même temps, participantes constantes. Comme adultes, notre responsabilité est de se regarder en face et de cesser d'encourager ce système-là.

- Fanny Britt

Réalisatrices

De plus en plus de femmes font carrière dans le cinéma. Elles sont responsables du *casting* ou des costumes, elles sont monteuses et parfois scénaristes. Elles sont moins souvent réalisatrices.

L'art n'a pas de sexe, le talent non plus. S'il ne faut pas d'attributs masculins particuliers pour faire un film, semble-t-il qu'il en faille pour le faire financer. Au Québec seulement, les femmes cinéastes ne réalisent que 23 % des films subventionnés, et ce, avec 14 % de l'enveloppe budgétaire disponible. Plus le projet est prestigieux, plus son budget est grand, moins il devient probable qu'il soit mené par une femme. Pourtant, la moitié des étudiants en audiovisuel dans les universités sont de sexe féminin.

En 2015, sur neuf projets de longs métrages de langue française retenus par la Société de développement des entreprises culturelles (SODEC), qui finance la production de films au Québec, à peine deux sont réalisés par des femmes. En 2014, il y en avait un sur neuf, et en 2011, un sur onze. La situation est semblable dans le reste du pays. Des 91 longs métrages financés par Téléfilm Canada en 2013-2014, un faible 17 % sont réalisés par des femmes. D'année en année, on constate que la situation ne progresse pas vers l'équité pour les réalisatrices. On situe le problème du côté des producteurs, des diffuseurs et des distributeurs, qui donneraient plus facilement une chance aux hommes.

On ne fait pas tellement mieux au petit écran, où les femmes signent les textes de la plupart des séries et téléromans, mais où la réalisation est presque toujours confiée à des hommes. Selon une étude sur la place des réalisatrices à la télévision québécoise effectuée en 2012, aucune des 48 émissions les plus regardées entre 2007 et 2010 n'était réalisée par une femme en solo. En 60 ans d'existence, la télé québécoise fonctionne toujours comme un *boys club*; les grands événements et les fictions vont aux hommes, tandis que les femmes peuvent se contenter des magazines sur la santé ou la mode et du contenu jeunesse.

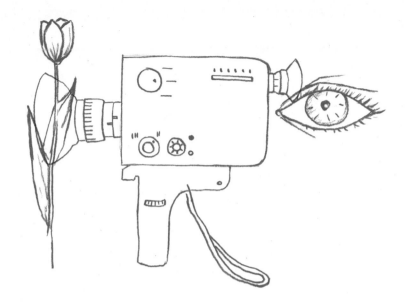

La sous-représentation des femmes en réalisation cinématographique a des répercussions jusque dans les remises de prix. De 1999 à 2016 seules trois femmes ont obtenu le prix Jutra[26] de la meilleure réalisation, soit Lyne Charlebois pour *Borderline* en 2009, Louise Archambault pour *Gabrielle* en 2014 et Léa Pool pour *La passion d'Augustine* en 2016. L'équivalent au Canada, le prix Génie, a été remis au même nombre de femmes sur une période beaucoup plus longue allant de 1980 à 2015 (Micheline Lanctôt en 1985 pour *Sonatine*, Sandy Wilson en 1986 pour *My American Cousin* et Sarah Polley pour *Away From Her* en 2008). Faut-il rappeler qu'aux États-Unis, Katheryn Bigelow est la seule femme à avoir remporté l'Oscar de la meilleure réalisation?

La présence de femmes derrière la caméra influence forcément la représentation des femmes à l'écran; on remarque que les réalisateurs emploient en majorité des actrices plus jeunes et qu'ils ont tendance à davantage accorder les premiers rôles à des hommes. Si des voix comme celle de Réalisatrices équitables, organisme fondé en 2007 et formé de réalisatrices professionnelles du Québec, revendiquent une plus grande équité pour les femmes dans le domaine de la réalisation, c'est entre autres pour enrichir notre cinéma de différents points de vue, pour qu'il raconte des histoires qui parlent de l'ensemble de la population.

---

[26] En 2016, la soirée des Jutra a changé de nom pour le Gala du cinéma québécois.

Smart, Elizabeth
Saunders, Loretta
Sang

Smart, Elizabeth

Quand elle publie *By Grand Central Station I Sat Down and Wept* (traduit par « À la hauteur de Grand Central Station, je me suis assise et j'ai pleuré ») en 1945, l'un des grands livres canadiens racontant un amour passionnel et tumultueux, Elizabeth Smart est une jeune écrivaine inconnue, exilée à Londres. À peine 6 des 2 000 premiers exemplaires imprimés se retrouvent dans les librairies canadiennes, à l'insistance de la mère de Smart qui fait jouer ses connexions hautes placées afin d'en empêcher la sortie. C'est que dans ce récit-poème d'où s'échappe toute la souffrance d'une maîtresse comme dans une lente rhapsodie, Elizabeth Smart raconte sa liaison avec le poète britannique George Barker. Un homme dont elle tombe amoureuse en le lisant et qu'elle se jure d'épouser. Un homme déjà marié, un catholique pour qui le divorce est inconcevable, mais duquel elle aura quatre enfants sans jamais vivre avec lui.

Née le 27 décembre 1913 à Ottawa, Elizabeth Smart a peu publié, mais peut tout de même être considérée comme une incontournable de la littérature canadienne, l'une de nos écrivaines maudites. Sa vie se lit comme l'histoire d'une héroïne tragique consumée par un amour improbable et interdit. On pense à Sylvia Plath et Ted Hughes, à George Sand et Alfred de Musset.

Elle grandit dans une famille issue de la haute société canadienne-anglaise. Son père est avocat et sa mère réputée pour les grandes soirées qu'elle organise. Elle fréquente de bonnes écoles privées et se destine à une carrière d'écrivaine dès son plus jeune âge. À 19 ans, elle part étudier le piano à Londres, après quoi elle rentre au bercail et travaille comme journaliste mondaine au *Ottawa Journal*. Elle passe les années 1930 à vivre en nomade, enchaînant les voyages. C'est au détour d'une librairie londonienne qu'elle découvre la poésie de George Barker. Se faisant passer pour une collectionneuse de manuscrits, elle l'invite à venir la rencontrer aux États-Unis et leur histoire commence.

Enceinte de leur deuxième enfant, Elizabeth Smart retourne en Angleterre et cumule les emplois pour subvenir aux besoins de sa famille. Au courant des deux décennies suivantes, elle sera rédactrice publicitaire et directrice littéraire pour la revue *Queen*, en plus de collaborer aux revues *Vogue*, *Tatler* et *House and Garden*.

À la hauteur de Grand Central Station, je me suis assise et j'ai pleuré devient un livre-culte en 1966 quand il est réédité. C'est seulement en 1977, après 32 ans de silence, qu'Elizabeth Smart se remet à publier. Un roman et quelques recueils de poésie et de prose qui, salués par la critique, confirment sa réputation littéraire.

Ses journaux personnels sont parus en deux volets posthumes, en 1986 et 1994. Ils sont une fenêtre sur les arias du quotidien d'une jeune mère vivant seule à la campagne, puis sur les défis d'être une mère monoparentale durant la Deuxième Guerre mondiale, alors qu'elle travaille et élève quatre enfants tout en fréquentant les bohèmes londoniens.

Elizabeth Smart meurt le 4 mars 1986 à Londres, laissant derrière elle une immense histoire d'amour et une œuvre qui exsude la passion.

C'est une femme qui a un parcours atypique, vraiment très impressionnant pour son époque. C'est une femme qui ne s'est jamais mariée, qui a eu quatre enfants de ce poète, George Barker, dont elle était très amoureuse, qui lui, était marié. C'était des pures bohèmes des années 1940-50. Elle a dans son écriture une espèce de candeur, une franchise que j'aime beaucoup. Sur le plan littéraire, on est dans une intimité ; je trouve qu'on est vraiment en train de parler de la vie des femmes. Parce que c'est ça aussi, le féminisme à l'œuvre : c'est les travaux des féministes, c'est ce qu'elles laissent derrière.

- Fanny Britt

Saunders,
Loretta

En février 2014, le corps de Loretta Saunders, 26 ans, est retrouvé le long de l'autoroute 2 près de Salisbury, au Nouveau-Brunswick. Elle avait été vue pour la dernière fois 13 jours plus tôt. Elle était enceinte. Inuit originaire du Labrador, Loretta Saunders étudiait la criminologie à l'Université Saint Mary's à Halifax, en Nouvelle-Écosse. Selon sa famille, elle avait réussi à se sortir de la drogue et de l'itinérance avant d'entreprendre une maîtrise. Sa thèse portait sur la disparition des femmes autochtones au Canada.

En avril 2015, un jeune couple à qui Loretta Saunders louait une chambre, et qui lui devait de l'argent pour le loyer, est reconnu coupable du meurtre et écope d'une peine de prison à vie.

Au Canada, les femmes autochtones sont trois fois plus à risque d'être victimes de violence que les autres femmes. Selon la Gendarmerie royale du Canada, près de 1 200 d'entre elles sont disparues ou ont été assassinées depuis 1980, en laissant beaucoup de questions sans réponses. Une petite minorité était des travailleuses du sexe.

Seulement 4,3 % des femmes canadiennes sont autochtones, mais elles comptent pour 16 % des femmes victimes de meurtres et pour 11,3 % des femmes disparues au pays. C'est donc trois à quatre fois plus que leur pourcentage au sein de la population canadienne.

Les femmes autochtones tuées ou disparues s'appellent Tina Fontaine, Marlene Yvonne Abigosis, Jennifer Catcheway, Maisy Odjick ou Shannon Alexander. Elles ont 15 ans ou sont elles-mêmes mères d'adolescentes. Ce sont des femmes qui, quand elles manquent à l'appel, ne sont pas recherchées par les autorités avec la même ferveur que si elles avaient été blanches, parce qu'elles vivent sur des réserves ou carrément dans la rue, parce qu'elles consomment des drogues, parce qu'on présume qu'elles sont parties rejoindre un amoureux ou parce qu'elles ont déjà fugué dans le passé. Plus de 200 cas de meurtres ou de disparitions demeurent non-résolus[27].

---

[27] Voir O : Oppal

Sang

Avoir ses règles est synonyme d'être indisposée.

On dit «avoir ses ours», en référence à la mauvaise humeur qui les accompagne, et «avoir son cardinal», pour la couleur rouge de l'habit traditionnel des cardinaux catholiques. On dit qu'on reçoit la visite de tante Flo, ou de tante Rose, sinon de tante Charlotte, et on sous-entend que cette visite n'est pas bienvenue. Vague rouge, attaque de l'Armée rouge, débarquement des Anglais... tant d'expressions imagées – et tout un champ lexical de champ de bataille – pour ne pas dire qu'on a ses menstruations. Parce que les menstruations, c'est tabou.

Une femme a ses règles pendant plus de trente ans. En moyenne tous les 28 jours, le cycle reprend; douleurs, irritabilité, crainte de voir arriver la fuite au mauvais moment, puis la ronde du changement régulier de tampon (parce que le syndrome du choc toxique peut être fatal), de serviette hygiénique ou autre coupe menstruelle pour éponger les 20 à 70 millilitres de sang écoulés.

Si les règles sont taboues, c'est que le sang perdu évoque l'impureté. Avant le XIXᵉ siècle, les médecins pensaient que les femmes saignaient pour évacuer l'hystérie. Dans l'Antiquité, on croit le sang menstruel venimeux et Hippocrate suggère qu'il sert à nourrir le fœtus. À la Renaissance, on considère qu'il est l'équivalent de la semence masculine et qu'il joue un rôle dans la conception. Pendant des siècles, on le juge mystérieux et même dangereux. La médecine n'arrive pas à expliquer que le corps féminin puisse saigner autant. Une femme qui a ses règles ferait aigrir le vin, tourner le miel et rater la mayonnaise. Un enfant conçu pendant les règles naîtrait difforme ou lépreux (ou roux, c'est selon). Ainsi, une femme menstruée est traitée comme une malade et reste cloîtrée en attendant que la vague passe.

Les progrès de la médecine moderne aidant, on sait désormais ce qu'est le sang menstruel et à quoi il sert (un ovule se développe dans les ovaires tandis que l'utérus se gorge de sang et de tissus pour le maintenir en place s'il est fécondé. S'il ne l'est pas, il se désintègre et est évacué en même temps que la muqueuse utérine, sous forme de sang. Fin.). Grâce aux publicités vantant des produits d'hygiène féminine de plus en plus discrets et sophistiqués, on sait aussi qu'il n'est pas nécessaire de se cacher pendant les règles, on peut même faire du sport! En fait, on ne fait jamais autant de sport que dans les publicités pour les tampons. Il n'en reste pas moins qu'un malaise archaïque persiste et que le sang menstruel, on n'en parle pas. Même que l'amour pendant les règles est l'un des derniers tabous de notre époque pourtant libérée sexuellement.

Au Canada, après des années de pressions exercées par des groupes jugeant discriminatoire l'imposition d'une taxe sur un produit essentiel pour les femmes, la taxe fédérale sur les tampons, les serviettes hygiéniques et autres produits du genre est abolie le 1er juillet 2015. Ils demeurent, par contre, soumis à la taxe de vente du Québec.

On voit étalé partout le sang de mort sur nos écrans, le sang des combats, le sang de guerre. On en est fier. Mais des 70 ml de sang par femme par menstruation depuis 200 000 ans, on ne parle jamais. Pourtant c'est celui qui indique que tu vas faire des enfants, que tu vas perpétuer l'espèce. C'est vraiment un tabou, sauf dans certaines cultures où c'est célébré. Par exemple, chez les Abénaquis, il y a le rituel de la couverture, où les femmes aînées encerclent les jeunes filles qui ont été menstruées pendant l'année pour les accueillir dans le grand cercle. Souvent, c'est une occasion de transmission des aînées vers les plus jeunes, où on les lave, les coiffe. Il y a plusieurs parties du monde où on fait ça.

- Manon Barbeau

T

Thérèse Casgrain

Thibault, Sophie

Tortue

Thérèse Casgrain

Le nom de Thérèse Casgrain, icône du féminisme, est indissociable du combat pour le droit de vote des Québécoises.

Née Forget le 10 juillet 1896, Thérèse Forget grandit dans une famille aisée de Montréal et épouse Pierre-François Casgrain, un avocat et homme politique qui deviendra plus tard député fédéral libéral et secrétaire d'État sous le gouvernement de Mackenzie King. Elle a quatre enfants avec lui.

Toute sa vie durant, elle s'implique politiquement et socialement, combattant les injustices qui touchent autant les femmes que les hommes. Elle siège au Conseil fédéral du salaire minimum, fonde la Ligue des jeunes francophones, fait partie du Conseil de la santé au Canda et aide à l'organisation de la Commission des prix et du commerce en temps de guerre.

Militante pour les droits des femmes, elle dirige la Ligue des droits de la femme de 1928 à 1942. L'une des principales revendications de la ligue est le droit de vote pour les Québécoises au niveau provincial, droit qui leur est finalement accordé par le gouvernement libéral d'Adélard Godbout en 1940.

Elle fait ensuite le saut en politique. Entre 1942 et 1963, elle se présente sept fois comme candidate libérale d'abord, puis pour le Parti social démocratique (aujourd'hui le Nouveau Parti démocratique), sans parvenir à se faire élire.

Femme d'influence, Thérèse Casgrain devient la première canadienne à diriger un parti politique quand elle prend la tête du Parti social démocratique en 1951. Elle en sera la dirigeante jusqu'en 1957.

Son engagement pour les droits de l'homme – et pour la cause des femmes en particulier – ne diminue pas dans les années 1960. Grande réformatrice, elle contribue à la fondation de la Ligue des droits de l'homme ainsi qu'à la Fédération des femmes du Québec.

En 1970, elle est nommée sénatrice et siège comme indépendante jusqu'à sa retraite neuf mois plus tard, à l'âge de 75 ans. Elle s'éteint le 3 novembre 1981.

En sa mémoire, la Fondation Thérèse F. Casgrain, qui subventionne des projets visant à promouvoir l'éducation, l'avancement des femmes et l'économie sociale, est créée en 1982. La même année, le gouvernement de Pierre Elliott Trudeau instaure le prix Thérèse-Casgrain du bénévolat, qui récompense l'engagement social d'un citoyen canadien. Ce prix sera aboli en 1990 par le gouvernement de Brian Mulroney, puis rétabli en 2001 sous les libéraux de Jean Chrétien, avant d'être à nouveau éliminé en 2010 par le gouvernement conservateur de Stephen Harper qui l'a remplacé par le Prix du Premier ministre pour le bénévolat... le signe qu'on commençait peut-être à oublier le nom de Thérèse Casgrain. Heureusement, le gouvernement libéral de Justin Trudeau a annoncé en avril 2016 que le prix retrouverait son nom d'origine, un nom qui est un symbole de la lutte des femmes.

Est-ce que c'est parce qu'elle est issue de la bourgeoisie qu'on lui a accordé moins d'importance, qu'on l'a reléguée aux oubliettes ? À l'époque, les femmes militaient soit pour l'abstinence ou pour le droit de vote. C'était des femmes issues de la bourgeoisie, souvent, parce que c'est elles qui avaient le temps de se relever les manches et de se battre pour ces idées-là ; les autres travaillaient.

- Nathalie Collard

Tortue

L'Amérique du Nord, selon le mythe autochtone de la création de la Terre, est une grande tortue. Sur son dos, les peuples autochtones ont grandi en harmonie avec la nature. Chaque fois que la tortue bouge, la terre tremble.

Plusieurs sociétés autochtones étaient de type matriarcal ou matrilinéaire et, avant la colonisation, les femmes avaient traditionnellement une place privilégiée dans l'organisation sociale. Hommes et femmes avaient leurs rôles bien distincts, valorisés également. La tribu d'origine de la mère était déterminante dans l'appartenance au clan et le niveau de pouvoir et de respect dont bénéficiaient les femmes autochtones dépassait largement celui des Européennes à la même époque. Un exemple de liberté et d'Indépendance pour nos sociétés contemporaines.

Lors du processus de colonisation, on s'en est vraiment pris aux femmes. On voyait que les femmes avaient une place égale, beaucoup plus importante que dans les cultures européennes. On s'en est pris – dans la loi, mais aussi dans les pratiques de colonisation – aux femmes, pour qu'elles aient moins de pouvoir. Et lorsque les femmes ont commencé à résister, on les a traitées de sales, d'obscènes, de sauvages. Dans la littérature, on a commencé à dire que les femmes autochtones ont été déshumanisées, qu'on les a rendues un peu jetables. Et aujourd'hui, ces disparitions s'inscrivent dans une forme de déshumanisation qu'on a longtemps nourrie dans la culture majoritaire canadienne. Je pense qu'apprendre de cette histoire-là nous donne des outils pour changer l'avenir.

- Alexa Conradi

Avec la Loi sur les Indiens, adoptée en 1876, une discrimination systémique envers les femmes autochtones s'installe. Une vision patriarcale de la famille est imposée, faisant en sorte que l'Indien transmet son statut à sa femme, qu'elle soit elle-même Indienne ou pas, alors que l'Indienne qui épouse un non-Indien perd son statut légal et se voit contrainte de quitter sa communauté. Ses enfants ne seront pas reconnus comme des Indiens aux termes de la loi. En somme, elle est exclue de sa propre culture.

Le projet de loi C-31 vient partiellement rétablir la situation en 1985, permettant à des milliers de femmes de se réinscrire sur le Registre des Indiens avec leurs enfants. Une victoire qui a entraîné son lot de complications, puisqu'aucune mesure n'a été mise en place pour faciliter le retour de ces femmes dans leurs communautés, alors confrontées à des problèmes de logement et à un manque de services. Le seul statut légal n'est pas garant de l'identité, il ne rachète pas l'appartenance à une communauté.

Aujourd'hui, 4,3 % de la population canadienne s'identifie comme autochtone. Les statistiques démontrent que les autochtones sont moins instruits, plus pauvres et plus marginalisés que les autres citoyens. La situation des femmes continue à être précaire, puisqu'elles sont près de trois fois plus à risque que les non-autochtones d'être victimes d'un crime violent[28].

---

[28] Voir O:Oppal et S: Saunders, Loretta

Thibault, Sophie

Les femmes sont de plus en plus présentes dans les médias, mais après 20 ans de recherche dans 114 pays, l'organisme ONU Femmes constate une importante disparité entre la représentation des hommes et des femmes dans les médias d'information en particulier.

L'avènement de la télévision canadienne remonte à 1952, quand on commence à diffuser en direct de Montréal et de Toronto sur les ondes de Radio-Canada. La même année, CBC amorce la diffusion de *The National* et, deux ans plus tard, Radio-Canada lance son *Téléjournal*. La première chaîne d'information en continu canadienne, CBC Newsworld, entre en ondes en juillet 1989, suivie en 1995 par son équivalent de langue française, RDI, unique en son genre en Amérique du Nord. L'engouement pour l'information télévisée est alors à son comble.

Il faut toutefois attendre longtemps avant qu'une femme prenne en solo la barre d'un bulletin de nouvelles de fin de soirée. La première à le faire est Sophie Thibault, à qui l'on confie le populaire journal télévisé de TVA en mai 2002.

Chaque soir, elle apparaît dans notre écran, dans notre salon, mais on oublie souvent le chemin qu'a parcouru cette femme. Pour moi, c'est un modèle de communicatrice. Si on se fie aux derniers chiffres, c'est 45 % des membres de la Fédération des journalistes du Québec qui sont des femmes, sauf qu'elles sont encore dans des cases plus traditionnelles ; on les voit par exemple en culture, dans les arts de vivre, à la météo, mais moins dans les affaires publiques, en économie, en politique. Il y a donc encore du travail à faire, mais Sophie Thibault a quand même ouvert la voie à ces changements-là.

- Fadwa Lapierre

Chez nos voisins du sud, il y avait bien eu Barbara Walters au réseau ABC en 1976 et Connie Chung à CBS en 1993, mais elles partageaient l'antenne avec un coanimateur. Au Canada anglais, les Barbara Frum et Pamela Wallin avaient occupé des postes importants en information, sans devenir cheffes d'antenne. Même chose pour les Québécoises Pascale Nadeau, Michaëlle Jean et Céline Galipeau, qui avaient animé des bulletins de nouvelles, mais jamais en solo ni en heure de grande écoute, sinon en région.

La présence de Sophie Thibault dans ce créneau est donc remarquable. Il s'agit d'un moment marquant de l'histoire des médias au pays, au point où elle a fait l'objet d'une thèse sur la perspective féminine dans les téléjournaux.

Née en 1961, Sophie Thibault amorce des études de psychologie avant de ressentir l'appel du journalisme. Elle fait ses débuts à la radio communautaire et comme pigiste pour différents magazines comme *La Vie en rose* ou *Protégez-vous*. Lorsqu'elle fait son entrée à TVA en 1988, elle trouve réellement sa voie. Elle devient lectrice de nouvelles à l'émission matinale *Salut, bonjour!* en 1990, puis collabore à plusieurs émissions d'affaires publiques du réseau avant d'être nommée cheffe d'antenne des bulletins de fin de semaine en 1995.

Plus de 500 000 personnes regardent Sophie Thibault chaque soir au *TVA 22 Heures* depuis 2002. Sa cote d'amour ne dérougit pas; de 2003 à 2010, elle obtient le prix MetroStar – devenu le prix Artis en 2006 – de la meilleure animatrice d'un bulletin de nouvelles, prix sélectionné par le grand public.

Fait exceptionnel, on ne retrouve pas une mais deux femmes cheffes d'antenne d'un bulletin de nouvelles de fin de soirée en semaine depuis l'arrivée de Céline Galipeau au téléjournal de Radio-Canada en janvier 2009. Une belle dose d'encouragement pour les femmes qui sont aujourd'hui majoritaires dans les programmes de journalisme et qui occupent 44 % des postes dans le milieu journalistique canadien.

Union

Utérus

Université

Union

Ce sont 37 % des couples québécois qui vivent en union libre, ou union de fait, contre à peine 14 % ailleurs au pays. Et ce sont 49,5 % des familles québécoises qui sont formées d'un couple de parents mariés, contre 86 % dans le reste du Canada.

En fait, l'union libre est surtout populaire chez les Québécois francophones catholiques, donc pas forcément chez tous les Québécois. Pour expliquer cette disproportion, il faut remonter à la Révolution tranquille, période de sécularisation lors de laquelle les Canadiens français délaissent massivement la pratique religieuse, ce qui se fait ressentir dans l'institution familiale. Le nombre de divorces augmente, on fait moins d'enfants et il devient acceptable de vivre en couple et de fonder une famille sans être marié devant Dieu.

Là où le bât blesse, c'est évidemment sur le plan juridique: les conjoints de fait n'ont pas les mêmes droits que les couples mariés et, advenant une séparation, le décès ou l'inaptitude d'un conjoint, l'autre n'est pas protégé. Pas droit au partage des biens, pas de possibilité de demander une pension alimentaire – contrairement aux normes établies dans les autres provinces canadiennes – et pas de protection de la résidence familiale si un seul des conjoints est propriétaire.

Il n'y a toutefois aucune différence en ce qui concerne les enfants après une rupture, qu'un couple soit marié ou en union de fait. Les deux parents conservent leur autorité parentale.

La très médiatisée affaire «Lola contre Éric» aura servi à confirmer aux 1,2 million de Québécois vivant en union libre qu'il valait mieux s'armer d'un solide contrat de vie commune. Rappel: «Lola», ex-conjointe de fait et mère des trois enfants de l'homme d'affaires multimillionnaire «Éric», revendique les mêmes droits que s'ils avaient été mariés avant leur séparation, soit une pension alimentaire pour elle-même et l'accès au patrimoine financier de monsieur (et accessoirement, un montant forfaitaire de 50 millions). En janvier 2013, la Cour suprême tranche: c'est

non, il n'y aura pas de révision de la législation québécoise en matière de droits des conjoints en union libre. Parce que bien que l'on reconnaisse que l'un des conjoints de fait est souvent plus désavantagé que l'autre en cas de rupture (devinez lequel[29]), on considère que le régime québécois des conjoints de fait est légal et conforme à la Charte des droits et libertés.

La solution pour les couples qui ne tiennent pas à se marier réside donc dans le contrat de vie commune qui se signe auprès d'un avocat ou d'un notaire pour la modique somme de 500 $ à 1000 $. Il s'agit d'une entente sur mesure englobant toutes les précisions sur la manière dont le couple souhaite vivre l'après-séparation, par exemple le partage des responsabilités, des biens, mais aussi des dettes, et le versement d'une pension alimentaire au conjoint moins fortuné ou demeuré au foyer pour élever les enfants. C'est quand même meilleur marché qu'une cérémonie champêtre en robe blanche, sous un pont couvert décoré façon *shabby chic*. En fait, c'est plus ou moins le prix du *DJ*.

---

[29] On vous le donne en mille : la femme est plus souvent désavantagée. Après une rupture, 43 % des femmes ont vu le revenu de leur ménage baisser considérablement, contre 15 % des hommes.

Le Québec est champion en matière d'union de fait; il y a un couple sur trois qui vit ainsi. Le contrat de vie reste encore très impopulaire et je me suis demandé pourquoi. J'ai parlé à des amis avocats qui m'ont dit que la rupture demeure un sujet très délicat, on ne veut pas penser au pire et, culturellement, les femmes sont mal à l'aise de «quémander», il y a une image péjorative à «se faire vivre». Encore aujourd'hui, malgré l'affaire Lola contre Éric, il y a plusieurs femmes qui n'ont pas conscience qu'elles ne sont pas protégées.

- Fadwa Lapierre

Utérus

On sait désormais qu'Hippocrate et ses contemporains se trompaient en avançant que la migration de l'utérus dans le corps de la femme provoquait l'hystérie[30]. L'utérus n'est responsable ni des maux physiques qu'on lui attribuait, ni des troubles d'ordre psychologiques qu'il servait à justifier. Il n'est donc pas le moteur de l'irrationalité féminine qu'on croyait, mais il est certainement le symbole même de la maternité et de la féminité, ce qui explique que son ablation pour des raisons médicales, ce qu'on appelle hystérectomie, puisse être très mal vécue par certaines. Idem pour l'infertilité.

On estime que jusqu'à 15,7 % des couples canadiens sont aux prises avec des problèmes d'infertilité, soit près d'un couple sur six. Une hausse par rapport à 1992, où ce taux se situait à 8,5 % et à 1984 où il n'était que de 5,4 %. Cette tendance à la hausse ne touche pas que les femmes plus âgées, contrairement à ce qu'on pourrait croire. Jusqu'à 13,7 % des couples dont la partenaire féminine est âgée entre 18 et 29 ans souffrent d'infertilité. C'est presque trois fois plus qu'il y a trente ans.

Les problèmes d'infertilité se manifestent pour une foule de raisons et chaque couple qui en souffre a son histoire faite de petits et de grands deuils. Quand l'utérus ne remplit pas son rôle d'organe reproducteur, quand il n'en vient pas à naturellement héberger l'œuf fécondé jusqu'au terme d'une grossesse, la médecine offre des solutions de procréation assistée. Insémination artificielle, stimulation des ovaires ou fécondation in vitro, à chaque problème sa solution.

Comme solution de rechange à l'adoption, le recours à une mère porteuse est l'une de ces options qui demeurent controversées. Au Canada, cette pratique n'est pas illégale, mais elle n'est pas non plus encadrée par la loi. La commercialisation des fonctions reproductives soulevant des questions d'éthique importantes, il est interdit de rémunérer la femme qui porte l'enfant, et aucun contrat signé avec elle n'a de valeur en cour. On souhaite ainsi éviter que l'utérus ne devienne une marchandise. Résultat: personne n'est protégé, ni le couple qui peut refuser de prendre le bébé au terme de la grossesse, ni la mère porteuse qui peut choisir de le garder.

---

[30] Voir H: Hystérie

Depuis la naissance du premier bébé éprouvette en Angleterre en 1978, la question de la procréation assistée préoccupe pour des raisons de santé, d'éthique, mais aussi d'intervention de l'État. En 1989, le gouvernement de Brian Mulroney met sur pied la Commission royale sur les nouvelles technologies de reproduction. Présidée par la D^re Patricia Baird, la commission a pour mandat d'analyser les progrès de la science et de la médecine afin de mesurer leurs conséquences morales, sociales, économiques et juridiques. Son rapport, intitulé *Un virage à prendre en douceur*, est déposé en 1993 et fait état de l'inquiétude des Canadiens face aux nouvelles technologies de reproduction. C'est près de dix ans plus tard, en mars 2004, que la Loi sur la procréation assistée est adoptée, interdisant la vente d'ovules et de spermatozoïdes, la rémunération des mères porteuses et le clonage humain, entre autres. C'est l'Agence canadienne de contrôle de la procréation assistée, officialisée en janvier 2006, qui est chargée de faire respecter les interdits en vertu de cette loi.

Je pense qu'on est mûr pour un débat sur la procréation assistée et toutes ses ramifications, c'est-à-dire autant le financement des traitements de fertilité que la question des mères porteuses, un débat éthique et scientifique intéressant qu'on est en train de tasser. Il y a des pays où des femmes en situation de vulnérabilité économique vont louer leur utérus, ou des cas où on va acheter des ovules en Europe de l'Est pour s'assurer que l'enfant aura des traits occidentaux. C'est assez troublant et c'est une question importante.

- Nathalie Collard

Université

L'Université Mount Allison, à Sackville au Nouveau-Brunswick, est la première institution canadienne à accueillir les femmes en 1862. La toute première bachelière canadienne, Grace Annie Lockhart, obtient son diplôme en sciences et en littérature anglaise de cette université en 1875.

Du côté francophone, la première école d'enseignement supérieur pour filles est ouverte à Montréal en 1908. C'est Marie Gérin-Lajoie, qui fréquente une école d'enseignement supérieur pour filles affiliée à l'Université Laval à Québec, qui est la première Québécoise à obtenir un diplôme universitaire en 1911.

Au Québec, le réseau des écoles pour filles se développe lentement, sans subventions de l'État. En 1951, un faible 1 % des femmes possède un diplôme universitaire, contre 3,7 % des hommes. En 1960, la Commission Parent, qui vise à démocratiser l'éducation secondaire ainsi qu'à créer un nouveau réseau d'institutions collégiales et universitaires, est mise en

Avoir accès aux études nous permet de remettre en question le savoir qui a été défini historiquement à travers le regard des hommes. L'accessibilité aux études est essentielle à la fois pour l'avancement des femmes et pour l'avancement du féminisme, parce que ça nous permet de prendre tous les sujets d'étude imaginables – que ce soit en science, en philosophie – et de remettre en question ce qui a été construit historiquement comme étant un savoir universel, mais qui finalement a très souvent été un savoir masculin, érigé sans le regard des femmes. L'université est essentielle pour l'égalité.

- Alexa Conradi

place et mène à la création du ministère de l'Éducation, en 1964. Cette réforme du système scolaire laisse moins de place au clergé et, doublée des effets de la Révolution tranquille et des luttes féministes pour l'égalité homme-femme, elle permet l'entrée massive des femmes dans les écoles.

Le nombre de femmes dans les universités augmente tout autant dans le reste du pays, passant de 3 824 étudiantes en 1920 à 312 663 en 1997.

Les choses ont bien changé en quelques décennies. Depuis le début des années 1990, les femmes sont plus nombreuses que les hommes à fréquenter l'université. En 2008, 62 % des diplômes de premier cycle sont obtenus par des femmes. Elles ne sont cependant pas aussi présentes au deuxième cycle, et bien que la proportion de diplômées au doctorat progresse, elles restent minoritaires. C'est une tendance qui s'observe dans les autres sphères du milieu universitaire: en enseignement, en recherche et en administration, plus on gravit d'échelons, plus les femmes se font rares.

De 1997 à 2012, on note une augmentation de 42 % du nombre de jeunes femmes de 20 à 34 ans titulaires d'un baccalauréat, comparativement à 30 % chez les hommes dans la même tranche d'âge. Avec l'augmentation du niveau d'études, l'écart de rémunération entre les sexes se rétrécit, passant de près de 23 % avec un diplôme d'études secondaires à 12 % avec un diplôme universitaire.

Certes, des inégalités salariales persistent entre les hommes et les femmes même à diplôme équivalent, mais on ne peut nier que l'accès à l'éducation a contribué à l'émancipation des femmes en leur donnant accès à des professions auparavant réservées aux hommes, et en favorisation leur autonomie économique et intellectuelle. Comme on dit, «éduquer une femme, c'est éduquer toute une nation», mais éduquer une femme, c'est surtout l'aider à s'émanciper.

V

Vulve

Viol

Vieillesse

Vulve

Le mot est peut-être moche, mais son équivalent en latin n'est guère plus réjouissant : pour dire « vulve » on dit *pudendum femininum*, où pudendum signifie « parties honteuses ». Ce qui explique peut-être pourquoi peu de femmes accepteraient de prendre la pose du modèle de *L'origine du monde* de Gustave Courbet.

La vulve est la partie visible des organes génitaux féminins qui n'était pas si visible que ça avant l'avènement de l'épilation intégrale [31]. Depuis qu'on la voit bien (surtout dans la porno qui, elle, est partout), la vulve est source de multiples complexes, au même titre que toutes ces autres parties du corps auxquelles on trouve mille et une choses à reprocher. La longueur des lèvres, la couleur, la texture de la peau... En vérité, il n'y a pas de vulve « normale » esthétiquement parlant. Néanmoins, les complexes de la vulve mènent de plus en plus chez le chirurgien. La popularité de la labiaplastie augmente chaque année malgré le fait que les petites lèvres dépasseraient chez 80 % des femmes [32].

Avant que le sexe féminin obtienne une place de choix sur le papier glacé des magazines érotiques, il est le plus souvent caché dans ses représentations dans l'art. Chez les Grecs, par exemple, on le recouvre d'un drapé ou d'une feuille de vigne alors qu'on expose l'engin de monsieur. À la Renaissance, il est nonchalamment dissimulé derrière la main ou les longs cheveux du modèle, quand il ne prend pas simplement l'aspect du sexe de Barbie, lisse, sans renflements. Vers 1540, on va un peu plus loin en retouchant les tableaux dont on juge qu'ils manquent de pudeur.

La honte historique du sexe féminin a certainement contribué à la méconnaissance qu'ont les femmes de leur vulve encore aujourd'hui. Une méconnaissance qui n'est pas sans conséquence, quand on sait que seulement le tiers des femmes avouent connaître l'orgasme régulièrement lors de leurs rapports sexuels [33].

---

[31] Voir E : Épilation
[32] Voir L : Lèvres
[33] Voir J : Jouissance

MIROIR,
MIROIR,

DIS-MOI QUI
EST LA PLUS BELLE?

Évidemment, la vulve, on ne l'oublie jamais, ça fait partie d'un univers de plaisir, mais ça fait aussi partie d'un univers de chirurgie, de haine, de préjugés. On doit faire face à des réalités où notre corps ne nous appartient pas entièrement, c'est-à-dire que notre corps fait l'objet d'un regard social, d'un contrôle social important, aussi. On a encore du travail à faire pour que nos corps soient libérés, qu'ils soient notre territoire à nous. Comment peut-on reprendre un peu possession de nos propres corps et de notre sexualité ? Pourquoi pas par le plaisir ?

- *Alexa Conradi*

Viol

Une Canadienne sur trois sera victime d'une agression sexuelle au cours de sa vie. Toutes les 17 minutes, une femme est contrainte d'avoir une relation sexuelle contre son gré. La violence sexuelle touche particulièrement les femmes autochtones, les femmes handicapées et les jeunes femmes âgées de 15 à 24 ans.

De tous les actes criminels, la violence sexuelle est l'une des plus sous-déclarées. Parce que les contours flous du consentement la rendent difficile à définir, parce que la victime a peur d'être humiliée ou blâmée, parce qu'on risque de ne pas la croire. Et parce que la plupart du temps, la victime connaît son agresseur.

L'expression «culture du viol» apparaît d'abord en 1974 dans le livre *Rape: The First Sourcebook for Women* des féministes américaines Noreen Connell et Cassandra Wilson. Quand on parle de «culture du viol», on parle en fait d'une culture de banalisation[34] qui rend le viol possible en minimisant l'agression contre les femmes («les hommes aussi sont victimes d'agressions sexuelles»), en questionnant la responsabilité de la femme victime d'agression («elle portait une minijupe», «elle a accepté de boire un verre», «elle a commencé par dire oui» , «dans le fond, elle a eu du plaisir») ou en l'accusant carrément de mentir, tout ça dans une société où l'objectification sexuelle de la femme est monnaie courante. La culture du viol en est une où la supposée victime ne bénéficie pas de la même présomption d'innocence que le supposé agresseur.

Un cas récent a lancé une discussion sans pareille sur la culture du viol au pays: en octobre 2014, CBC congédie l'animateur vedette Jian Ghomeshi, accusé de multiples agressions sexuelles et de comportements violents envers plusieurs femmes entre 2002 et 2008. Seulement deux plaignantes sur neuf témoignent publiquement, les autres préférant ne pas révéler leur identité. Ghomeshi, lui, prétexte que les rapports étaient consensuels et se dit victime de fausses allégations, puni pour ses préférences sexuelles dignes de *50 Shades of Grey*.

---

[34] Voir B: Banalisation

Les réactions sont instantanées. On trouve suspect que les femmes refusent de s'identifier, on demande pourquoi elles ont attendu aussi longtemps avant de dénoncer, on conteste leurs motivations. Puis le vent tourne, et dans la foulée de cette sordide affaire, le mouvement #BeenRapedNeverReported et son équivalent francophone #AgressionNonDénoncée sont lancés sur les médias sociaux. Peut-être pour la première fois au pays, une vaste conversation sur les violences sexuelles envers les femmes est enclenchée. Des milliers de révélations sont faites par des femmes qui avaient jusque-là gardé le secret de leur agression. Une catharsis collective 2.0 qui a eu le mérite de faire céder la digue du silence et de rendre visible cette insidieuse culture du viol qu'on ne pourra faire disparaître qu'en dénonçant.

Il y a eu un gros débat aux États-Unis ; un organisme de défense des droits des victimes d'agressions sexuelles (RAINN) a remis en question l'utilisation de l'expression « culture du viol », parce qu'elle banaliserait le viol, que tous les comportements et les agressions sexuelles sur les campus ne sont pas nécessairement des viols. Honnêtement, leur position est un peu discutable. Est-ce qu'on vit dans une culture du viol aujourd'hui ? Je regarde le cinéma par exemple, qui n'a pas tellement changé au fil des ans, où le viol est quasiment considéré sur le même pied qu'un fantasme sexuel. Alors oui, il y a quelque chose de culturel à ça.

- Nathalie Collard

Vieillesse

Les femmes ont-elles le droit de vieillir? Surtout, ont-elles le droit de vieillir en public? Pas à Hollywood, si l'on se fie à la longue liste d'actrices ayant eu recours à la chirurgie esthétique. Pas chez nous non plus, quand on pense aux journalistes de talent comme Louise Arcan et Michèle Viroly, qu'on a remplacées par des plus jeunes passé un certain âge pas si avancé. Si les femmes doivent vieillir, qu'elles le fassent au moins en beauté, avec grâce, ou qu'elles le fassent loin des caméras!

En 2015, pour la toute première fois au Canada, on compte davantage de personnes âgées de 65 ans et plus que d'enfants de 14 ans et moins. Un changement démographique qui avait déjà touché le Québec en 2011, et qui risque de s'accroître jusqu'à ce que les aînés en viennent à compter pour 20 % de la population canadienne en 2024.

L'espérance de vie des femmes se situe à 84 ans alors qu'elle est de 80 ans pour les hommes. Si elles vivent plus longtemps, leur santé à l'étape de la vieillesse est généralement plus précaire et elles sont davantage touchées par des handicaps graves ou des maladies chroniques en fin de vie.

Les femmes sont également plus pauvres à la retraite, vivant avec environ 59 % du revenu des hommes. Même si l'écart entre le taux de participation au marché du travail des hommes et les femmes se rétrécit,

elles continuent de jouer un plus grand rôle dans l'éducation des enfants et cessent souvent de travailler ou optent pour une tâche réduite pendant un certain temps. Leur salaire horaire moyen est plus faible que celui des hommes et elles sont plus nombreuses à être travailleuses autonomes. Une réalité qui fait qu'elles cotisent souvent moins que les hommes à des régimes de retraite.

Une population qui vieillit est une population qui a besoin de soins. Jusqu'à maintenant, les aidants naturels ont majoritairement été des femmes, et elles consacrent souvent plus de 20 heures par semaine à la prestation de soins. Le rôle de l'aidant naturel est exigeant et l'accès à des services de soutien est limité.

Dans un contexte d'austérité où l'État délaisse les secteurs qui ne répondent pas à la logique économique – les soins de santé, l'éducation, les services sociaux – et opte pour la privatisation des services publics, les mesures mises en place risquent d'aggraver les inégalités entre les hommes et les femmes. Les politiques d'austérité affaiblissent souvent les politiques familiales, ce qui tend à avoir un impact particulièrement négatif sur la situation des femmes et entraîne des pertes d'emplois dans le secteur public où 60 % des effectifs sont féminins.

Vieillir avec grâce? Bonne chance, mesdames!

Wapikoni

Whitton, Charlotte

Weight Watchers

Wapikoni

Le 30 mai 2002, sur un chemin forestier au nord de La Tuque, en plein après-midi, une voiture percute un camion semi-remorque immobilisé en bordure de la route. Un nuage de poussière qui réduit la visibilité, un bête accident, deux décès qui auraient pu être évités, dont celui d'une jeune Atikamekw de la réserve de Weimotaci. Elle s'appelait Wapikoni Awashish et avait tout juste 20 ans. Pour la réalisatrice Manon Barbeau, qui collaborait avec elle à la scénarisation d'un long métrage, elle était une telle leader pour sa communauté qu'il fallait lui rendre hommage.

Ainsi est né le Wapikoni mobile, un studio ambulant qui cumule les fonctions de lieu de création audiovisuelle et musicale, de rassemblement et d'intervention pour les jeunes des Premières Nations. Circulant dans les différentes communautés autochtones, le studio offre la possibilité aux jeunes de s'initier au cinéma – réalisation, scénarisation, montage, prise de son... – avec l'aide de cinéastes-formateurs professionnels.

Cofondé par Manon Barbeau, le Conseil de la Nation Atikamekw et le Conseil des jeunes des Premières Nations, le Wapikoni mobile est lancé en 2004 avec la collaboration de l'Office national du film du Canada et de l'Assemblée des Premières Nations. Depuis, des milliers de jeunes

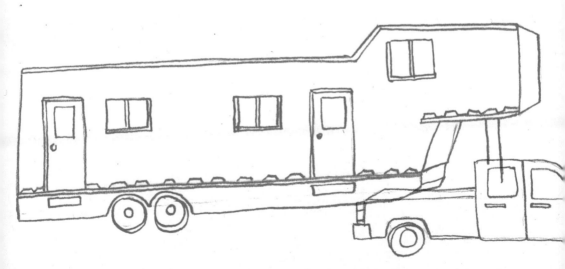

issus de 30 communautés autochtones se sont initiés au cinéma ou à l'enregistrement musical. Près de 850 films, dont plusieurs ont remporté des prix dans de prestigieux festivals internationaux, ont été réalisés entre l'Abitibi-Témiscamingue et la Côte-Nord, contribuant de manière inestimable à sauvegarder et à enrichir le patrimoine culturel des Premières Nations.

Au cœur du projet Wapikoni, il y a l'idée d'écoute et d'accompagnement ; bâtir des relations de confiance durables avec les jeunes participants grâce à des intervenants de suivi demeurant dans les communautés visitées. Même en parcourant des milliers de kilomètres chaque année, le Wapikoni s'implique à long terme. Un moyen de briser l'isolement dans ces communautés où le taux de suicide chez les jeunes est cinq ou six fois plus élevé qu'ailleurs au pays. Un projet qui sauve des vies, comme l'a avoué le rappeur algonquin Samian, qui a réalisé ses premiers vidéoclips avec l'aide du Wapikoni mobile en 2004 avant d'en devenir le porte-parole.

Sorte de maison des jeunes sur roues, le Wapikoni mobile a un contact privilégié avec une clientèle difficile d'accès ; jeunes marginalisés, décrocheurs ou chômeurs, touchés par des problèmes de violence, de pauvreté ou de toxicomanie. Après avoir passé dangereusement proche de la fin en 2011, tandis qu'Ottawa annule une importante subvention sans laquelle le Wapikoni mobile ne peut poursuivre ses activités normalement, le studio de création ambulant continue d'inspirer et d'intervenir auprès de ces jeunes autochtones grâce à une subvention du gouvernement du Québec ainsi qu'avec l'aide de partenaires privés. Tout ça à la mémoire de la jeune Wapikoni Awashish partie trop vite.

« Wapikoni », qui veut dire « fleur »,
était l'une des jeunes leaders de
la communauté. Quand on perd
quelqu'un qui ne s'est pas suicidé,
quelqu'un qui était une étoile, une
lumière dans une communauté, on
dit que la dépression est deux fois
plus grande et ça fait souvent que les
gens sentent qu'il n'y a pas d'espoir.
Le Wapikoni mobile a été nommé en
son honneur. Je trouve que c'est un
projet qui est extraordinaire pour ça :
basé sur le travail des femmes, puis
aussi dirigé par une femme, Manon
Barbeau. Il y a eu des problèmes
avec le financement, mais la force
de Manon, c'est justement qu'il ne
mourra pas, le Wapikoni mobile !

- *Mélissa Mollen Dupuis*

Whitton, Charlotte

On ne fait pas plus coloré comme personnage que Charlotte Whitton, la première femme à diriger une grande ville nord-américaine. Femme de caractère, Whitton n'a pas eu froid aux yeux une seule seconde de sa carrière de politicienne.

Née le 8 mars 1896 à Renfrew, en Ontario, Whitton fait des études d'histoire, d'anglais et de philosophie à l'Université Queen's pendant la Première Guerre mondiale, alors que peu de femmes arrivent à y entrer. Diplôme de maîtrise en poche, elle fonde le Conseil canadien pour la sauvegarde de l'enfance à Ottawa, qu'elle dirige entre 1920 et 1941. Elle s'impose comme une experte en travail social, œuvrant entre autres pour la protection des enfants négligés et immigrants.

Choquée par l'absence de femmes en politique, elle décide de se lancer ; en 1951, elle devient la première femme élue maire de la Ville d'Ottawa, rôle qu'elle occupe jusqu'à la fin 1956, puis encore de 1961 à 1964. Élue quatre fois, elle se démarque par sa verve, ses déclarations choquantes (« The best

C'est un personnage vraiment fascinant. Elle a fait à Ottawa, en termes urbanistiques, de grandes choses, dit-on. C'est un peu la Churchill du Canada au féminin. Elle avait des mots d'esprit très acides envers ses adversaires, dont, notamment, l'une de ses répliques les plus connues : « Quoi qu'elle fasse, une femme doit toujours travailler deux fois plus qu'un homme pour être aussi reconnue. Heureusement, ce n'est pas difficile. » On voit un peu l'esprit de la dame ! Une excentrique doublée d'une grande liberté, d'une volonté politique et sociale très, très forte.

- Ianik Marcil

man won », annonce-t-elle suite à sa troisième victoire) et ses relations de travail tumultueuses. En tant que mairesse, elle supervise la construction de bon nombre de logements sociaux et fait transformer un ancien hôpital en résidence pour aînés, en plus de chapeauter l'ambitieuse édification de l'hôtel de ville sur la promenade Sussex. Elle fait peut-être la vie dure à ses collègues, mais en revanche, elle contribue à l'augmentation des revenus de la Ville grâce aux subventions qu'elle obtient du gouvernement fédéral.

Elle est finalement battue aux élections de 1964, mais continue à occuper le poste de conseillère municipale jusqu'à ce qu'une blessure vienne mettre fin à sa carrière en 1972. Elle décède des suites d'une crise cardiaque en janvier 1975.

Jamais mariée, elle partage sa vie avec une femme pendant des années. Monarchiste convaincue attachée aux traditions, féministe de droite engagée pour l'égalité des hommes et des femmes en politique et dans le monde du travail, quoique pas très partiale au travail des femmes mariées hors du domicile familial, francophobe notoire souvent accusée de racisme et d'antisémitisme, politicienne d'avant-garde dont on a déploré l'intolérance, Whitton est tout ça à la fois, une femme aux contradictions bien assumées. Même après sa mort, elle continue de susciter la controverse. Quand, en avril 2011, Ottawa propose de donner son nom au nouvel édifice voué à héberger les archives de la ville, les communautés francophone et juive ne cachent pas leur mécontentement. Les francophones reprochent à Whitton de s'être fermement opposée au bilinguisme à Ottawa et la communauté juive critique sa fermeture à l'arrivée en sol canadien d'orphelins juifs dans les années 1930, alors qu'elle dirige encore le Conseil canadien pour la sauvegarde de l'enfance. Un mois plus tard, devant toute la grogne soulevée, la ville d'Ottawa revient sur sa décision.

Si elle n'est pas irréprochable, Charlotte Whitton est néanmoins une figure importante du féminisme canadien. Commémorons au moins la fougue avec laquelle elle s'est jetée dans l'arène politique.

Weight Watchers

Cinquante-trois pour cent des femmes disent ressentir de la culpabilité quand elles mangent[35]. L'obsession du poids ne connaît pas de frontières, et ça, Weight Watchers l'a bien compris. Le célèbre programme de perte de poids créé en 1963 par l'Américaine Jean Nidetch, décédée en avril 2015, est présent dans une trentaine de pays. Il s'est rapidement imposé comme étant l'une des méthodes les plus efficaces et les moins restrictives pour perdre les kilos en trop. Le programme s'articule autour de réunions de groupe lors desquelles les participants s'apportent un support mutuel, et fonctionne selon un système de points attribués à chaque aliment en fonction de sa valeur nutritive. On peut donc continuer de manger ce qu'on aime, pourvu qu'on ne dépasse pas le «budget alimentaire» alloué. Voilà de quoi confondre les 31 % de femmes qui croient que bien manger implique nécessairement de se priver de leurs aliments favoris.

En fait, si Weight Watchers obtient autant de succès depuis plus de 50 ans, c'est qu'on ne perd pas de poids de façon saine en limitant seulement son alimentation[36]. La combinaison d'une modification des habitudes alimentaires avec de l'exercice physique régulier et un accompagnement psychologique font l'efficacité de la méthode Weight Watchers sur la durée.

Aujourd'hui, Weight Watchers est un véritable empire; vente de produits divers allant du pain tranché aux petits plats congelés, association avec des porte-paroles célèbres (la chanteuse Jessica Simpson aux États-Unis, la comédienne et humoriste Valérie Blais au Québec) et rencontres hebdomadaires fréquentées par plus de 800 000 personnes à travers le monde.

En octobre 2015, l'animatrice vedette et gourou du mieux-être Oprah Winfrey devient actionnaire minoritaire de la compagnie dont l'étoile commence à pâlir en raison de la compétition venant des applications mobiles. Résultat: le titre de Weight Watchers double de valeur. En janvier 2016, elle publie une vidéo annonçant à ses 31 millions d'abonnés sur

---

[35] Voir G: Grosse
[36] Voir R: Régime

Twitter qu'elle a réussi à perdre 26 livres grâce à Weight Watchers, et ce, en continuant à manger du pain. L'action de l'entreprise grimpe instantanément de 21 %.

Le prix d'un abonnement annuel au programme Weight Watchers oscille entre 600 $ et 840 $ selon le forfait choisi, ce qui peut sembler cher payé la livre perdue mais ne suffit pas à freiner la détermination des milliers de Canadiens abonnés.

Le régime est à la base de l'être féminin. Quelle femme n'a pas suivi de régime ? Et quelle femme n'y pense pas au mois de mai ou juin, quand elle essaie des maillots de bain? En furetant sur Internet, j'ai vu qu'il y avait plus de 400 régimes pour les femmes – les femmes sont toujours trop grosses, trop grasses, on va jusqu'à l'anorexie. Alors c'est important de briser ce tabou; le poids des femmes, le corps des femmes est un tabou. Heureusement, maintenant on parle de poids santé. On refuse les diktats de la mode, et je trouve ça très, très réjouissant.

- Louise Dupré

X (comme signature)
X (chromosome)
Xanthippe

X
(comme signature)

La lettre X apposée à la fin d'un courriel ou d'un message texte (ou d'une lettre manuscrite, pour les nostalgiques) est interprétée comme un baiser, un signe d'affection. Elle est aussi symbole d'inconnu en mathématiques et d'anonymat: par exemple, une femme qui accouche sous X en France abandonne son bébé aux services de l'État et a le droit de garder son identité secrète. Historiquement, la lettre X sert également de substitut de signature aux gens ne sachant pas écrire.

Quarante-huit pour cent des Canadiens de plus de 16 ans sont des analphabètes fonctionnels, ce qui veut dire qu'ils ont de la difficulté à comprendre un texte. Pour ce qui est du Québec, on calcule que 19 % de la population adulte ne possède pas les connaissances de base pour lire et écrire.

Le problème de la littératie est encore plus criant dans les communautés autochtones, où le taux de scolarité est bien en deçà de la moyenne canadienne. C'est 48,4 % des autochtones qui sont titulaires d'un diplôme d'études postsecondaires, alors que ce chiffre s'élève à 89 % dans la population non autochtone. Soixante pour cent des Canadiens autochtones ne seraient pas suffisamment alphabétisés pour participer à la vie économique actuelle, selon un rapport de la Banque TD paru en 2013.

Pour les autochtones, surtout pour les aînés, le concept d'apprentissage diffère de l'enseignement scolaire formel. Le but de l'apprentissage est de développer les aptitudes, les valeurs et la sagesse qu'il faut pour honorer et protéger la nature, entre autres. Un apprentissage en continu, donc, qui se mesure davantage par la manière d'être que par un examen à choix multiples.

Présentement, les 60 langues autochtones parlées au Canada, sauf l'inuktitut, sont menacées. On peut certainement tenir pour responsables les pensionnats indiens qui ont contribué à remplacer l'usage de la langue maternelle par l'apprentissage du français ou de l'anglais, dans le but d'inculquer aux enfants autochtones la culture dominante de la société blanche. Dans les écoles de plusieurs réserves, des efforts considérables sont faits pour enseigner les langues autochtones, de manière à les revitaliser.

Conjuguer la transmission des savoirs traditionnels autochtones entre les générations et l'éducation formelle obligatoire représente un défi de taille, mais inévitable pour assurer aux communautés autochtones leur autonomie et surtout, la préservation de leur culture.

Ma grand-mère ne savait pas écrire, pas vraiment. Elle ne parlait pas beaucoup français, d'ailleurs. C'était une des raisons pour lesquelles on n'arrivait pas à communiquer, sauf si ma mère faisait la traduction. Si elle n'avait pas l'écriture, elle avait par contre énormément de connaissances : elle était sage-femme, elle connaissait les plantes médicinales, elle chassait. Il y a encore un problème de littératie chez les Premières Nations, et de nos jours, justement, c'est un problème qui ne peut plus exister. C'est en écrivant qu'on peut sauvegarder notre culture. On avait des connaissances incroyables, puis on les a partagées de façon orale. Et maintenant, comment peut-on transformer ça en partage à l'écrit ?

- Mélissa Mollen Dupuis

X
(chromosome)

En octobre 2015, la vedette de téléréalité Caitlyn Jenner est nommée sur la liste des femmes de l'année du magazine féminin américain *Glamour*, aux côtés de l'actrice Reese Whitherspoon, des joueuses de l'équipe américaine de soccer et de la première Afro-Américaine à accéder au poste de danseuse étoile à l'American Ballet Theatre, Misty Copeland. Pourtant, moins de cinq mois plus tôt, Jenner se prénommait encore Bruce et était considéré comme un athlète, champion de décathlon et médaillé d'or aux Jeux olympiques de Montréal en 1976. La grande différence entre Jenner et les autres femmes de l'année 2015 : un chromosome X en moins.

La détermination du sexe dépend de la 23e paire de chromosomes : deux chromosomes X chez la femme, un X et un Y chez l'homme. D'un point de vue moléculaire, l'homme et la femme sont donc différents l'un de l'autre. Ce qui ne confirme absolument pas les stéréotypes de genres voulant que la femme ait un talent inné pour le multitâche, ou que l'homme soit prédisposé à savoir s'orienter en voiture.

Qu'est-ce qui fait d'une femme une femme, alors ? La position essentialiste veut que le sexe détermine le genre, et que dans le comportement de l'individu, l'inné lié au sexe biologique prévale sur les acquis appris ou construits subséquemment. Une théorie qui simplifie royalement la question identitaire, la ramenant à des généralités : la femme est émotive, mauvaise en mathématiques, pas faite pour diriger, et on ne peut rien y faire puisqu'elle est faite ainsi. Le discours antiféministe, notamment celui des masculinistes, s'appuie sur cette vision essentialiste du genre.

À l'opposé, la position constructionniste avance que le genre est une construction sociale, que l'identité se forge dès la naissance par la somme des apprentissages effectués. On apprend aux filles à être des filles, et aux garçons à être des garçons, par la manière de leur parler, de les vêtir, de les valoriser, par les jouets qu'on leur assigne. On encourage les garçons à prendre la parole, on enseigne aux filles à être disciplinées. À l'âge adulte, la construction se poursuit et la différence entre les sexes se creuse, à travers la pratique sportive ou la représentation dans les médias, par exemple.

Quelque part entre les deux, le féminisme différentialiste postule l'existence de différences innées entre les sexes – sur le plan des aptitudes, des préférences ou des comportements – et prône l'égalité dans la différence.

De plus en plus de parents un peu partout dans le monde choisissent d'élever leurs enfants dans une plus grande neutralité, en espérant ainsi éviter de tomber dans les stéréotypes de genre qui nuisent à l'égalité. On atteindra peut-être l'égalité entre les sexes le jour où la femme sera considérée comme un homme comme les autres (mais avec un chromosome X en plus).

> Les masculinistes, particulièrement, considèrent qu'il y a une nature masculine et une nature féminine. Ce qui, à mon sens, est horrible. Simone de Beauvoir est bien connue pour sa célèbre phrase « On ne naît pas femme, on le devient ». Justement, ce construit social qui est à la base des inégalités entre les femmes et les hommes, c'est encore ce qu'il faut combattre.

- Ianik Marcil

Xanthippe

Dans la vraie de vraie vie, Xanthippe n'a pas accompli grand-chose pour faire avancer la cause des femmes au Canada. On sait qu'elle fut l'épouse du philosophe grec Socrate – l'une des ses deux épouses, en fait - et qu'elle était une mégère notoire. L'histoire raconte que Xanthippe faisait endurer le pire à ce pauvre Socrate. Dans son tableau *Socrate, ses deux épouses et Alcibiade*, le peintre néerlandais Reyer van Blommendael la représente d'ailleurs versant le contenu d'un seau – peut-être un pot de chambre, le comble! – sur la tête de son mari.

Le nom de Xanthippe est devenu synonyme d'acariâtre, un reproche qu'on fait souvent aux femmes peu sociales, à celles qui ont un peu trop de caractère. Au Québec, on parle aussi de «germaines» pour qualifier ces femmes contrôlantes qui gèrent et qui mènent d'une main de fer, sans le gant de velours. La douceur chez la femme demeure un stéréotype bien intégré, et son absence dérange. On ne dira pas d'un homme au tempérament fort qu'il est «germain», qu'il est «xanthippe».

Dans son roman *Le pique-nique sur l'Acropole*, paru en 1979, l'écrivaine québécoise Louky Bersianik (pseudonyme de Lucile Durand) donne à Xanthippe une voix et un peu d'humanité. Sorte de réécriture au féminin du *Banquet* de Platon auquel seraient conviées sept femmes, dont Xanthippe, le récit déconstruit la pensée patriarcale. Les femmes échangent ouvertement sur leur sexualité, la maternité et leur statut, et au fil de leurs discussions, c'est toute l'exploitation morale et physique de la femme à travers l'histoire qui se voit dénoncée. Avec sa plume virulente, intelligente et pleine d'humour, Bersianik explore le lien qui unit toutes les femmes et commet un livre dont la contribution à la pensée féministe est importante.

D'Youville, Marguerite

Yvettes

Yupik

D'Youville, Marguerite

La première personne née au Canada à être canonisée est une religieuse catholique influente qu'on a surnommée «Femme forte de l'Amérique».

Marguerite d'Youville, née en 1701 à Varennes, au Québec, est une fille de bonne famille, une excellente élève formée au pensionnat des Ursulines de Québec. Elle se marie à l'âge de 20 ans avec un homme avec lequel elle aura six enfants, dont quatre meurent en bas âge, qui s'adonne au commerce illicite de l'eau-de-vie auprès des Amérindiens et ne lui laisse que des dettes à sa mort prématurée en 1730. Jeune veuve, c'est dans sa foi qu'elle va chercher du réconfort. Elle joint d'abord la Confrérie des Dames de Sainte-Famille, avant de décider de se consacrer aux pauvres 10 ans plus tard. En compagnie de quelques autres femmes, elle forme un groupe laïque de bienfaisance, ouvre une maison pour les pauvres et prononce des vœux simples. Un choix de vie qui n'est pas sans déranger la bonne société de l'époque, la norme voulant qu'une femme soit mariée ou au couvent, et pas quelque part entre les deux.

Ainsi Marguerite d'Youville fonde-t-elle l'ordre des Sœurs de la Charité, communément appelée Sœurs grises (pour ne pas dire «éméchées»), en référence aux activités de son défunt mari. En 1947, les sœurs se voient confier la direction de l'Hôpital général de Montréal, sur le bord de la faillite. Formidable femme d'affaires, Marguerite d'Youville le remettra sur pied et en fera un hospice pour personnes âgées avec l'aide de ses consœurs.

Leur communauté religieuse est officiellement reconnue en 1755 et leur établissement devient un véritable hôpital. Les Sœurs de la Charité prennent l'habit gris et mettent alors diverses entreprises en branle pour financer leur œuvre.

Même dans la pauvreté extrême, Marguerite d'Youville consacre sa vie aux plus démunis. Filles-mères, enfants abandonnés, soldats français et anglais blessés pendant la guerre de Sept Ans; les Sœurs grises recueillent tout le monde. On dit qu'elles ne refusent jamais personne.

Après plusieurs longues années de maladie, Marguerite d'Youville meurt en 1771. Entreprises par Étienne-Michel Faillon, sulpicien de Paris impressionné par la vie exceptionnelle de la religieuse québécoise, les démarches auprès du Vatican pour assurer sa canonisation durent cent ans. C'est finalement le Pape Jean Paul II qui procède à sa canonisation le 9 décembre 1990. Femme de cœur autant que femme de tête, on la célèbre à travers le Canada le 16 octobre de chaque année.

Yvettes

Dans un manuel scolaire destiné aux enfants québécois encore enseigné au début des années 1980, on rencontre Guy, petit garçon sportif dont l'ambition est de devenir un champion. On rencontre aussi sa gentille petite sœur, Yvette, fillette bien obligeante qui participe aux tâches domestiques comme une vraie petite ménagère en devenir.

Lors d'un discours prononcé pendant la campagne référendaire de 1980, alors qu'elle est ministre de la Condition féminine sous la bannière péquiste, Lise Payette[37] dira du chef libéral Claude Ryan qu'il est «marié à une Yvette». En comparant les femmes favorables à la cause du Non à la douce et docile Yvette des manuels scolaires légèrement sexistes, elle soulève une polémique qu'on finit par surnommer «l'affaire des Yvettes». On lui reproche de sous-entendre que les femmes qui votent Non sont des femmes soumises qui lèvent le nez sur leur propre libération.

Ses propos sont fortement dénoncés et on lui reproche son manque de solidarité; dans un texte retentissant, l'éditrice du *Devoir*, Lise Bissonnette, accuse Payette de mépriser les femmes au foyer, et en à peine sept jours, tout un mouvement de protestation s'organise grâce à certaines militantes libérales. Le 30 mars, le Brunch des Yvettes réunit près de 2 000 militantes du Non à Québec. Le 7 avril, à Montréal, 15 000 Yvettes se regroupent sous

[37] Voir P: Payette

la bannière des «Québécoises pour le Non». Parmi les oratrices présentes, on compte l'animatrice radio-canadienne Michelle Tisseyre, maîtresse de cérémonie pour l'occasion, plusieurs députées libérales, les sénatrices Renaude Lapointe et Yvette Rousseau, ainsi que Thérèse Casgrain, fondatrice de la Fédération des femmes du Québec et sénatrice. Des mobilisations qui auront pour effet de galvaniser les troupes fédéralistes. L'affaire des Yvettes représente un tournant inattendu dans la campagne référendaire qui se solde par la victoire du Non le 20 mai 1980. On estime que ce mouvement d'indignation des femmes aurait renversé la tendance initiale de 47 % en faveur du Oui à un 40 % minoritaire.

Loin de n'être qu'une simple «chicane de femmes», le rassemblement des Yvettes est, pour certains observateurs, une prise de parole des féministes conservatrices qui peinent à être considérées dans le discours féministe de l'époque. Pour d'autres, il s'agit plutôt d'une manipulation des femmes par le Parti libéral qui saute sur l'occasion de les rallier à sa cause.

Indépendantiste ou fédéraliste, le féminisme québécois est multiple. L'affaire des Yvettes aura servi à ouvrir la discussion sur le clivage qui existe à même le mouvement féministe entre les femmes qui revendiquent le choix de rester au foyer et celles pour qui l'émancipation passe par l'affranchissement d'un modèle qu'elles jugent stéréotypé ou restrictif.

Quand on dit qu'il n'y a pas un féminisme, mais bien des féminismes...

Le mouvement des Yvettes a montré qu'on pouvait être féministe et pour le Non, comme on pouvait être féministe et pour le Oui. On peut être féministe et être de tous les partis politiques. Même Lise Payette s'est félicitée de la participation des femmes à ces assemblées politiques.

- Louise Dupré

Yupik

Les Yupik vivent principalement en Alaska et au nord-est de la Russie et s'apparentent aux Inuits habitant les régions nordiques du Canada. Dans une thèse universitaire d'ethnologie[38] publiée aux États-Unis en 2002, on apprend que, traditionnellement, chez les Yupiks, comme dans plusieurs cultures axées sur la chasse, la femme qui a ses menstruations était isolée du reste de la communauté. On craignait qu'elle repousse le poisson ou le gibier, ou qu'elle nuise aux compétences des chasseurs[39].

La « vapeur de femme » pouvait perturber la chasse et l'ensemble des activités masculines si l'homme l'aspirait. On disait que « l'âme de la femme » pouvait entrer et perturber l'homme. Ce n'était pas une exclusion pour dire qu'elle était impure ou impropre, c'était pour reconnaître le pouvoir de la femme pendant ses menstruations, un pouvoir qui était très grand. D'ailleurs, chez les Yupik, quand la jeune fille avait sa puberté, elle se mariait peu de temps après et l'homme allait vivre dans la famille de sa jeune femme. La capacité de donner naissance est souvent vue comme une faiblesse – la pauvre femme enceinte ! – alors que là, c'est carrément le contraire. Les femmes gardaient leurs tâches, leurs responsabilités, même enceintes. Une fois qu'elles avaient accouché, quelques journées de repos et on retournait au travail.

- Melissa Mollen-Dupuis

---

[38] Morrow, Phyllis « A woman's vapor : Yupik bodily powers in southwest Alaska ». *Ethnology*, v.41, no.4, Automne 2002, p.335-348.
[39] Voir S : Sang

Génération Z

Zizi

Zombie

(« féminisme zombie »)

Génération Z

Ils sont nés avec le numérique, entre 1993 et 2010 environ. Ils n'ont pas connu le monde sans Internet et ils ont grandi avec les écrans plasma, le baladeur MP3, Facebook, la série *Friends* et les effets des attentats du 11 septembre 2001. Les plus âgés d'entre eux font tout juste leur entrée dans la vingtaine ainsi que sur le marché du travail. Au Canada, lors du recensement de 2011, ils étaient 7,3 millions et comptaient pour 22 % de la population.

Il est encore trop tôt pour dire quel impact les jeunes issus de la génération Z auront sur l'évolution de la société, mais les traits communs qu'on leur reconnaît laissent présager le meilleur.

On remarque que la génération Z fonctionne en rhizome plutôt qu'en hiérarchie, qu'elle est autodidacte et ambitieuse, individualiste mais hyperconnectée, qu'elle sait contrôler son image. Elle ressemble à la génération Y, donc, mais avec une conscience accrue des risques de dérapages que comportent les technologies numériques.

À l'adolescence, les Z ont des comportements plus sains qu'il y a une vingtaine d'années; ils fument et boivent beaucoup moins que les générations précédentes. Ils sont toutefois plus susceptibles de texter au volant.

La génération Z n'a connu que la récession et un monde où la menace terroriste plane. Or, paradoxalement, elle est composée de jeunes qui seraient beaucoup plus préoccupés par les injustices et plus tolérants aux différences de cultures, de religions et de sexe que leurs aînés. Moins optimistes que les Y, les Z sont des réalistes qui comprennent la dureté du monde, qui réalisent pleinement les effets de l'économie. On s'attend donc à ce qu'ils soient prudents et réfléchis. Et on espère que leur compréhension du monde les inspirera à améliorer la société. Rien que ça!

En 2014, le *Financial Times* titre «Génération Z, les sauveurs du monde?». On mise gros sur cette toute jeune génération qui n'a pourtant pas encore fait ses preuves et qui, pour l'instant, chamboule surtout le milieu du travail en demandant une gestion axée davantage sur l'humain que sur l'argent (programmes d'assurance-maladie et de perfectionnement, horaires plus flexibles), un engagement envers la communauté et – enfin! – l'égalité des sexes. Quatre-vingt-sept pour cent des Z considèrent l'égalité homme-femme au travail comme une priorité.

Des «rebelles avec une cause», les Z, comme l'a suggéré *Forbes* en 2013? On verra bien!

Plusieurs penseurs croient que les Z seront davantage libérés de cette inertie institutionnelle à laquelle appartient le schéma de l'égalité et dans laquelle nous sommes encore un peu englués. Cette génération serait potentiellement plus ouverte sur le monde, et donc ouverte à redéfinir le rapport avec les autres. Peut-être que c'est porteur d'espoir pour une société libérée des inégalités.

- Ianik Marcil

Zizi

La majorité des femmes jure que sa taille n'est pas importante, que ce qui compte, c'est de savoir s'en servir. Les études récentes en biologie, au contraire, le confirment : la taille du pénis est l'un des facteurs qui influencent l'attractivité sexuelle chez la femme, au même titre que la grandeur et la forme générale du corps d'un homme. Sa taille moyenne tend à diminuer de génération en génération, ce qui n'empêche pas la gent masculine d'en être suffisamment complexée pour considérer les « extenseurs de pénis », les pompes, les injections de botox, voire même la chirurgie. Ce ne sont pas les options qui manquent, si l'on se fie au contenu de nos boîtes de courrier indésirable.

L'homme aurait environ vingt érections par jour – onze le jour et neuf la nuit –, dont plusieurs sont le simple fruit de réflexes bien involontaires. Le pénis peut donc être perçu comme un petit animal qu'il faut dompter ou du moins, garder à l'œil.

Dans un système patriarcal, on peut concevoir le pénis comme l'arme des dominants ; une arme qui fait en moyenne entre 8 et 10 centimètres au repos et qui peut être utilisée autant pour blesser (ce n'est pas pour rien que la docteure sud-africaine Sonnet Ehlers a inventé au début des années 2010 un préservatif anti-viol qui s'insère comme un tampon et qui s'agrippe douloureusement au pénis de l'agresseur) que pour le contraire (on salue les quelque 3 femmes sur 10 qui atteignent l'orgasme facilement par la pénétration vaginale).

Parmi tous les clichés véhiculés sur les féministes (elles sont poilues ! elles sont mal baisées ! elles n'ont pas le sens de l'humour !), il y a la jalousie des hommes ; la féministe ne voudrait pas être l'égale de l'homme, elle souhaiterait en fait être un homme.

Freud a théorisé l'envie du pénis dans *Les théories sexuelles infantiles* en 1908. Dans la conception freudienne de la sexualité féminine, la petite fille déplore ne pas avoir de pénis et en veut à sa mère de l'en avoir privée. L'attachement à la mère se substitue alors à l'amour œdipien pour le père.

La fille sort du complexe d'Œdipe quand le désir d'avoir un enfant prend le dessus sur l'envie de pénis. En quelque sorte le pendant féminin du complexe de castration, l'envie de pénis chez Freud est liée à l'hystérie [40]. Sa conception phallocentrique de l'envie de pénis est contestée, puisqu'elle sous-entend que la sexualité féminine est extrêmement limitée et que la femme est condamnée à demeurer inférieure à l'homme en raison de ce qui manque à son anatomie et qu'elle recherchera toute sa vie. Une théorie considérée par Freud comme l'un de ses plus grands accomplissements, mais critiquée par bon nombre de femmes psychanalystes et de penseurs féministes pour son caractère biaisé et condescendant.

Envie de pénis ou pas, une question demeure: grosse Corvette, petite quéquette?

---

[40] Voir H: Hystérie

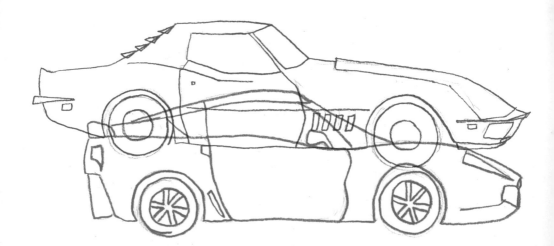

L'envie du zizi, ou l'envie du pénis, c'est selon Freud un élément fondamental de la sexualité féminine. Il semblerait que la petite fille se sente lésée par rapport à son petit frère et désire posséder, comme lui, un pénis. Cette envie du pénis va prendre, dans le cours de l'Œdipe, deux formes dérivées : l'envie d'acquérir elle aussi un zizi au-dedans d'elle-même en ayant un bébé, ou l'envie de jouir du pénis par le couple. Évidemment, cette théorie-là a été repensée récemment par des psychanalystes femmes et hommes, et aussi par des féministes. On sait que la sexualité féminine est vraiment très complexe, multiforme, et qu'elle est très liée aux sens. Elle a de nombreux lieux de jouissance.

- Louise Dupré

Zombie

(«féminisme zombie»)

Depuis quelques années, on voit l'expression «féminisme zombie» circuler, surtout dans la presse américaine. Une expression qui a pris tout son sens en 2008 quand Sarah Palin, alors première femme gouverneur de l'Alaska, se présente comme candidate au poste de vice-président des États-Unis, colistière du républicain John McCain. Mère de cinq enfants jonglant avec les responsabilités familiales et une carrière en politique active, belle femme à l'apparence toujours soignée et amatrice de chasse au caribou et de pêche, Palin apparaît d'abord comme un vent de fraîcheur sur la scène politique américaine. Enfin, une femme parmi tous ces hommes blancs au pouvoir! Sauf que, rapidement, on ne peut que constater que Palin n'est pas là pour faire progresser la cause des femmes; elle soutient les positions de son parti contre l'égalité de salaires, se prononce contre l'avortement en toutes circonstances et s'oppose aux cours d'éducation sexuelle dans les écoles.

Tel le zombie qui est un simple amas de chair dépourvu de conscience, le féminisme zombie est vide de substance. Il s'approprie le titre de «féminisme» sans en porter les revendications, chose qu'on reproche de plus en plus aux vedettes hollywoodiennes qui disent incarner le féminisme sans toutefois prendre position. Bref, une sorte de faux féminisme qui tient plus de la stratégie marketing que de l'engagement politique. On n'a qu'à penser au défilé de la collection printemps-été 2015 de Chanel, alors que, sur le podium, Karl Lagerfeld met en scène une fausse manifestation féministe où les mannequins brandissent des pancartes aux slogans faussement revendicateurs («Féministe mais féminine», «Soyez votre propre styliste» ou «History is Her Story»).

Une autre définition du féminisme zombie, plus proche de l'image qu'on se fait du zombie de films de genre, en fait un féminisme qui met fin à la passivité de la femme victime d'un crime. Une forme de catharsis où la femme reprend non seulement le contrôle, mais devient le monstre à craindre. Un monstre indestructible.

On peut penser aux Femen[41] ou à la tendance des *SlutWalks*, ces «marches des salopes» nées à Toronto en 2011, après qu'un policier ait maladroitement conseillé aux étudiantes d'un campus universitaire d'éviter de s'habiller «comme des salopes» afin de prévenir les agressions sexuelles. En guise de réponse, quelque 3 000 Torontoises ont investi les rues de la plus grande ville canadienne vêtues pour la plupart de leurs sous-vêtements exclusivement. Une telle marche s'est ensuite déroulée à Montréal, avant que le concept soit récupéré dans plusieurs grandes villes occidentales. Le but des *SlutWalks* est de dénoncer le blâme porté sur les victimes d'agressions sexuelles en se réappropriant le mot «salope» au passage, et ainsi, défendre les travailleuses du sexe. Un discours noble – la femme devrait effectivement pouvoir s'habiller comme elle veut sans être agressée –, mais une manière de le véhiculer qui inquiète certaines féministes préoccupées par le problème d'hypersexualisation des jeunes filles, ou qui regrettent qu'on ramène encore la femme aux stéréotypes sexuels dont elle peine à se défaire.

Le féminisme zombie fait beaucoup de bruit, et c'est là où il devient pernicieux. Dans sa première incarnation, il risque de nuire au mouvement d'émancipation des femmes en détournant des enjeux réels et en banalisant la lutte qui reste à mener. Dans sa deuxième incarnation, il suggère que la libération passe par une forme de revanche destructrice. Mais à l'heure où à peine 17 % des Canadiennes se définissent comme «très féministes»[42], un mouvement mort-vivant – quelle qu'en soit la définition – est peut-être préférable à pas de mouvement du tout.

---

[41] Voir F: Femen
[42] http://www.macleans.ca/society/life/where-are-the-feminist-men/

A

Arcan, Nelly 10
Atallah, Christine 12
Avortement 14

B

Banalisation 20
Bird, Florence 23
Blonde 17

C

Cadron-Jetté, Rosalie 29
Carney, Mark 32
Collectif CLIO 26

D

Desmond, Viola 41
Don Juan d'Autriche 35
Dupré, Louise 38

E

Edwards, Henrietta 49
Égal 44
Épilation 46

F

Femen 55
Fesses 58
Fortune, Rose 52

G

Point G 64
Garderie 66
Grosse 61

H

Homme 69
Honneur 73
Hystérie 70

I

Inégalités 76
Indépendance 79
Intersectionnalité 83

J

Janette Bertrand 86
Jouissance 92
Jupe-culotte 90

K

Kamikaze 95
Kateri Tekakwitha 98
Khôl 101

L

Laveuse 104
Lèvres 107
Lutte 106

M

Malala Yousafzai 111
Marchand-Dandurand, Joséphine 114
Mère 112

N

NAC (National Action Commitee
on the Status of Women) 122
Navarro, Pascale 117
Nicole Brossard 120

O

Olympiennes 125
OPPAL
(Commission OPPAL) 130
Ovulation 128

P

Patriarcat 137
Payette, Lise 134
Programme national
de garde pour enfants 140

Q

Québec 142
Queer 149
Quotas 146

R

Réalisatrices 158
Régime 155
Rémunération 152

S

Sang 166
Saunders, Loretta 164
Smart, Elizabeth 161

T

Thérèse Casgrain 170
Thibault, Sophie 174
Tortue 172

U

Union 177
Université 182
Utérus 180

V

Vieillesse 190
Viol 188
Vulve 185

W

Wapikoni 193
Weight Watchers 198
Whitton, Charlotte 196

X

X (chromosome) 204
X (comme signature) 201
Xanthippe 206

Y

d'Youville, Marguerite 208
Yupik 212
Yvettes 210

Z

Génération Z 214
Zizi 217
Zombie
(«féminisme zombie») 220

Avec la collaboration de

Depuis plus de trente ans, **Manon Barbeau** a œuvré comme scénariste et réalisatrice pour plusieurs organismes, notamment Télé-Québec et l'Office national du film du Canada (ONF). Elle a réalisé plusieurs documentaires et en 2003, elle a fondé le Wapikoni mobile en collaboration avec le Conseil de la nation Atikamekw et le Conseil des Jeunes des Premières Nations avec le soutien de l'APQNL et l'ONF. Le Wapikoni mobile, studio ambulant de créations vidéo et musicales destiné aux jeunes des Premières Nations a produit plus de 900 courts métrages. Manon Barbeau a été nommée Fellow Ashoka en 2009 et Officière de l'Ordre national du Québec en 2014. Elle a également reçu le prix Albert-Tessier, la plus haute récompense en matière de cinéma au Québec.

Josée Blanchette est une chroniqueuse québécoise qui trempe sa plume dans l'encre du journal *Le Devoir* depuis plus de 30 ans. On a pu aussi la lire dans *L'actualité*, *Châtelaine* et *Elle Québec*. On l'entend à la radio et à la télévision où elle chronique et anime sur divers sujets. Récipiendaire du prix Jules-Fournier (1999) et du prix Judith-Jasmin (Opinion, 2014), elle a publié de nombreux livres réunissant ses textes : *Sans ménagement* (2013), *Je ne suis plus une oie blanche* (2009), *Chère Joblo* (2003), *Plaisirs singuliers* (1997) et, pendant plus de 10 ans, des guides gourmands et autres recueils de chroniques culinaires.

Fanny Britt est auteure et traductrice. On lui doit entre autres les pièces *Chaque jour*, *Hôtel Pacifique* et *Bienveillance*, qui a remporté le prix du Gouverneur Général en théâtre en 2013, en plus d'une quinzaine de traductions théâtrales du répertoire contemporain. Elle oeuvre également en littérature jeunesse, et son album *Jane, le renard et moi* (illustré par Isabelle Arsenault) a été traduit dans une dizaine de langues. En 2013, elle publiait un premier essai, *Les tranchées : maternité, ambiguïté et féminisme, en fragments*, chez Atelier 10. Son plus récent ouvrage, le roman *Les maisons*, est paru en octobre 2015 au Cheval d'août.

Karen Cho est une cinéaste reconnue pour ses documentaires engagés. Sa filmographie comprend *In the Shadow of Gold Mountain*, *Terre d'asile* à propos des réfugiés au Canada et *Status Quo ?* un documentaire explorant les droits des femmes.

Nathalie Collard est journaliste au quotidien *La Presse* depuis 2001 et collabore occasionnellement à plusieurs émissions de radio et de télévision. Elle est l'auteure d'*Interdit aux femmes* avec Pascale Navarro (Boréal) ; *Le bébé et l'eau du bain* avec le Dr Jean-François Chicoine (Québec Amérique) ; *De quels médias le Québec a-t-il besoin ?* avec Marie-France Bazzo et René-Daniel Dubois (Leméac).

Alexa Conradi a présidé la Fédération des femmes du Québec et agi à titre de porte-parole de la Marche mondiale des femmes au Québec de 2009 à 2015. Elle vit aujourd'hui en Allemagne. Elle rédige un livre à paraître chez les Éditions du remue-ménage sur les principaux débats féministes qui animent la société québécoise. Lorsqu'elle ne suit pas de cours intensifs d'Allemand, elle travaille en Tunisie où elle soutient les démarches démocratiques entreprises par des femmes et la société civile dans la foulée de la révolution.

Martine Delvaux est professeure de littérature et d'études féministes à l'UQAM. Elle a publié des romans et des essais, dont les plus récents : *Blanc dehors* (Héliotrope, 2015), *Nan Goldin. Guerrière et gorgone* (Héliotrope, 2014), *Les Cascadeurs de l'amour n'ont pas droit au doublage* (Héliotrope, 2012) et *Les filles en série* (Éditions du remue-ménage, 2013).

Formée en géographie et en journalisme, *Raphaëlle Derome* est journaliste scientifique indépendante depuis 2003. Elle collabore à divers magazines scientifiques jeunesse et grand public (*Les Débrouillards*, *Curium*, *Quatre Temps*) et travaille comme recherchiste, scénariste et consultante en télévision. On peut également l'entendre à la radio publique, où elle agit comme co-animatrice et recherchiste (*Histoires d'objets*) ou chroniqueuse (*Médium Large*, *Plus on est de fous, plus on lit !*).

Louise Dupré a publié une vingtaine de titres, qui lui ont mérité de nombreux prix et distinctions. Parmi ses derniers livres, mentionnons le recueil de poésie *Plus haut que les flammes* (2010) aux Éditions du Noroît et le roman *L'album multicolore* (2014) chez Héliotrope. Elle est membre de l'Académie des lettres du Québec et de l'Ordre du Canada.

Titulaire d'une maîtrise en littérature comparée de l'Université de Montréal, *Rima Elkouri* est journaliste au quotidien *La Presse* depuis 1998 et chroniqueuse depuis 2001. Récipiendaire du prix Jules-Fournier en 2003, elle a publié aux éditions Somme toute *Pas envie d'être arabe*, un recueil rassemblant ses meilleurs textes parus entre 2000 et 2014

Formée chez Jacques Lecoq à Paris, *Brigitte Haentjens*, lauréate du Prix Siminovitch (mise en scène) 2007 est une metteure en scène réputée qui a d'abord été un des chefs de file de la création artistique franco-ontarienne avant de se faire connaître à Montréal. Brigitte Haentjens a fondé la compagnie Sibyllines en 1997 : un espace de liberté où elle signe des spectacles retentissants (*La nuit juste avant les forêt*, *Hamlet-machine*, *La Cloche de verre*, *Tout comme elle*, *Blasté*, *Woyzeck*, *L'opéra de quat'sous*, *Molly Bloom*, *Richard III*). Elle est co-auteure de plusieurs pièces de théâtre et de trois récits poétiques. Depuis 2012, Brigitte Haentjens est directrice artistique du théâtre français du Centre national des Arts.

Louise Harel a été responsable du dossier de la condition féminine au Centre des services sociaux de Montréal de 1979 à 1981 et membre de la Fédération des femmes du Québec. Elle a été élue députée péquiste dans Maisonneuve en 1981. Réélue en 1985, puis dans Hochelaga-Maisonneuve en 1989, en 1994, en 1998, en 2003 et en 2007. Pendant ces années au Parti Québécois, elle a entre autres été Ministre des Communautés culturelles et de l'Immigration, Vice-présidente de la Commission de la culture, Présidente de la Commission de l'éducation, Ministre de l'Emploi et de la solidarité, Présidente de l'Assemblée parlementaire de la francophonie, Chef de l'opposition officielle et présidente de la Commission de l'éducation.

Aurélie Lanctôt est diplômée en journalisme de l'UQAM et étudiante en droit à l'université McGill. Elle est chroniqueuse pour la *Gazette des femmes* et collabore régulièrement à *ICI Radio-Canada Première*. Elle est également l'auteure de *Les libéraux n'aiment pas les femmes*, un essai sur les femmes et les politiques d'austérité paru en 2015 chez Lux éditeur.

Guidée par sa curiosité insatiable, *Fadwa Lapierre* carbure aux échanges humains. D'aventure en aventure, la jeune trentenaire part à la recherche d'histoires remarquables. Diplômée en communication et en science politique et allergique à la monotonie, elle jongle avec le journalisme, la recherche, la coordination et la rédaction. Son sujet de prédilection est la culture sous toutes ses formes.

Hada López est la fondatrice du Collectif ILWIT et collaborateurs. D'origine salvadorienne, cette auteure québécoise se consacre depuis 2007 à l'écriture pour la jeunesse. La carrière d'écrivaine d'Hada López est ponctuée de projets d'implication sociale et de rencontres qui alimentent son intérêt pour la médiation culturelle. Pour son travail, elle a reçu des reconnaissances telles que des bourses de création et des prix littéraires.

Judith Lussier est auteure, journaliste pigiste et chroniqueuse pour le journal *Métro*. Elle collabore à l'émission *C'est juste du web* (ARTV) et à la série *Les Brutes* (Télé-Québec). Accessoirement, elle étudie à la maîtrise en sociologie concentration études féministes à l'UQAM.

Bochra Manaï est chercheure et enseignante. Diplômée en Études Urbaines de l'INRS-UCS, sa thèse de doctorat a porté sur la mise en visibilité de l'ethnicité maghrébine dans l'espace urbain montréalais. Ses intérêts de recherche portent sur l'ethnicité, l'immigration et sur la cohabitation dans l'espace de la ville. Militante et citoyenne engagée, elle est aussi co-fondatrice de l'entreprise sociale « Espace Nodal ».

Ianik Marcil est économiste indépendant spécialisé en innovation, justice sociale et économie des arts et de la culture. Chroniqueur au magazine *L'Itinéraire* de Montréal au *Journal de Montréal* et de Québec, à *Ricochet* et à BLVD FM à Québec, il intervient dans de nombreux médias papier et électroniques, en plus de prononcer régulièrement des conférences.

Née en Tunisie, *Monia Mazigh* est la coordinatrice nationale de la Coalition pour la surveillance internationale des libertés civiles. Elle détient un doctorat en finance de l'Université de McGill. Elle a travaillé à l'université d'Ottawa et a également enseigné à l'Université Thompson Rivers à Kamloops en Colombie-Britannique. En 2004, elle s'est présentée à l'élection fédérale canadienne comme candidate pour la partie NPD. Depuis, Mazigh a publié deux romans (*Miroirs et mirages* et *Du pain et du jasmin*) et *Les larmes emprisonnées* qui raconte son expérience après l'arrestation de son mari et sa lutte pour rétablir sa réputation et demander réparation.

Julie Miville-Dechêne est représentante du Québec à l'UNESCO. Elle a été présidente du Conseil du statut de la femme durant 5 ans, de 2011 à 2016. Ses nombreuses interventions publiques ont contribué à accroître la visibilité de l'organisme. Elle a également donné une orientation pragmatique à la recherche, que ce soit sur les congés parentaux, les mères porteuses, les crimes d'honneur ou le Plan Nord. Julie Miville-Dechêne a été ombudsman à Radio-Canada de 2007 à 2011 et journaliste à la télévision de Radio-Canada.

Melissa Mollen Dupuis est originaire d'Ekuanitshit sur la Côte-Nord. À travers son travail d'animatrice à Native Montreal ou pendant ses 13 ans au *Jardin des Premières Nations*, elle expose et partage la richesse de sa culture à la communauté de Montréal. C'est à travers les arts visuels, l'animation, la vidéo, la performance et le conte qu'elle est amenée à explorer des avenues contemporaines d'interprétation de la culture des Premières Nations. Comédienne dans plusieurs séries autochtones à la télévision, elle est aussi impliquée dans le milieu culturel et communautaire autochtone avec le Réseau pour la stratégie urbaine de la communauté autochtone à Montréal, le Wapikoni Mobile et Idle No More QC.

Mélissa Verreault est née en 1983. Elle a publié trois livres aux Éditions La Peuplade (*Voyage Léger*, *L'angoisse du poisson rouge* et *Point d'équilibre*), ainsi qu'un court roman aux Éditions Didier, en France (*Les couleurs primaires*). Son prochain roman, *Les voies de la disparition*, paraîtra à l'automne 2016. Elle étudie présentement à la maîtrise en traduction à l'Université Laval, où elle est également chargée de cours en création littéraire.

Juriste de formation, *Cathy Wong* est devenue la plus jeune présidente du Conseil des Montréalaises depuis sa création, et occupe le poste d'agente de développement jeunesse pour les YMCA du Québec. Elle a été l'une des concurrentes de l'émission télévisée *La Course Évasion autour du monde* et chroniqueuse à la Première Chaîne de Radio-Canada. Elle a co-animé les émissions *Les Oranges Pressées* et *Droit de cité* sur les ondes de CIBL. Elle a également été collaboratrice dans le cadre des *Duos improbables* à l'émission *Pas de midi sans info*.

Le premier film de *Nadia Zouaoui*, *Le Voyage de Nadia*, est devenu un incontournable pour comprendre la prison qu'est la société patriarcale dans laquelle elle a grandi en Algérie. Elle fait du documentaire d'opinion pour essayer de construire des ponts entre les cultures, entre le Nord et le Sud et entre les gens d'origine et d'opinions diverses. Son but, initier le dialogue et la compréhension de l'autre pour un meilleur vivre ensemble.

Remerciements

Merci aux membres de l'équipe de *Plus on est de fous, plus on lit!* qui ont collaboré de près ou de loin à cet abécédaire lors de la diffusion radio : La réalisatrice Joanne Bertrand, les recherchistes Maude Paquette et Marie-France Lemaine, les stagiaires à la recherche Marion Bérubé, Michèle-Andrée Lanoue et Charles Doiron, les adjoints à la réalisation Mathieu Beauchamp, Michèle Belisle et Camille Parent, ainsi qu'à Sylvie Julien, chef de contenu.

Achevé d'imprimer en septembre 2016 sur les presses de l'imprimerie Marquis.
Cet ouvrage est entièrement produit au Québec.